Optimal A1

Lehrwerk für Deutsch als Fremdsprache

Lehrbuch

von

Martin Müller,

Paul Rusch,

Theo Scherling

und

Lukas Wertenschlag

Grammatik: Helen Schmitz in Zusammenarbeit mit Reiner Schmidt

Aussprache: Christiane Lemcke in Zusammenarbeit mit Heinrich Graffmann

Langenscheidt

Berlin · München · Wien · Zürich · New York

Redaktion: Sabine Wenkums und Gernot Häublein
Visuelles Konzept, Layout: Ute Weber in Zusammenarbeit mit Theo Scherling
Umschlaggestaltung: Studio Schübel Werbeagentur; Foto Getty Images / V. C. L.
Zeichnungen: Christoph Heuer
Fotoarbeiten (soweit im Quellenverzeichnis nicht anders angegeben): Vanessa Daly
Satz und Litho: Angelika Schönwälder, kaltnermedia Bobingen

Verlag und Autoren danken Evelyn Farkas, Cornelia Gick, Virginia Gil, Katja Wirth und allen Kolleginnen und Kollegen,
die *Optimal* begutachtet und mit Kritik und wertvollen Anregungen zur Entwicklung des Lehrwerks beigetragen haben.

Optimal A1 – Materialien

Lehrbuch A1	3-468-47001-0
Audio-Kassetten A1	3-468-47004-5
Audio-CDs A1	3-468-47005-3
Arbeitsbuch A1	3-468-47002-9 mit eingelegter Lerner-Audio-CD
Lehrerhandbuch A1	3-468-47003-7 mit eingelegter Lehrer-CD-ROM
Testheft A1 mit eingelegter Audio-CD	3-468-47011-8
Glossar Deutsch-Englisch A1	3-468-47014-2
Glossar Deutsch-Französisch A1	3-468-47015-0
Glossar Deutsch Italienisch A1	3-468-47016-9
Glossar Deutsch-Spanisch A1	3-468-47017-7
Lerner-CD-ROM A1	3-468-47010-X

Symbole in *Optimal* A1

A 7   **Aufgabe 7** in diesem Kapitel

    Hören Sie auf der CD 1 zum Lehrbuch den Index 2.

→ Ü 1 – Ü 2   **Übungen** 1–2 im Arbeitsbuch gehören hierzu.

    Achtung! Das müssen Sie lernen.

    Online-Übungen und -Projekte hierzu auf der Langenscheidt-Homepage

    Diese Redemittel helfen in wichtigen Situationen weiter.

Internetadressen:
www.langenscheidt.de/optimal
www.langenscheidt.de

Umwelthinweis: gedruckt auf chlorfrei gebleichtem Papier

Druck: Druckhaus Langenscheidt, Berlin
Printed in Germany · ISBN 3-468-47001-0

2004 05 06 07 08 · 5 4 3 2 1

Inhalt

Inhalt

Inhalt

Menschen – Sprachen – Länder

Name, Herkunft, Sprache

A 1
Informationen zu Personen
a) Hören Sie und notieren Sie:

Name
Herkunft
Wohnort
Sprachen

→ Ü 1–2

Guten Tag!

Andrea

Servus!
Anna

Grüezi!

b) Hören Sie noch einmal. Lesen Sie.

→ Ü 3

Urs

Andrea sagt „Guten Tag!" Andrea kommt aus Deutschland. Sie wohnt in Hamburg. Sie spricht Deutsch und Englisch.

Anna sagt „Servus!" Sie kommt aus Österreich.
Sie wohnt in Graz.
Sie spricht Deutsch und Italienisch.

Urs sagt „Grüezi!" Er kommt aus der Schweiz.
Er wohnt in Bern. Er spricht Deutsch, Französisch und Spanisch.

Alle drei sprechen Deutsch – aber verschieden.

Buon giorno!

Martina

A 2
Hören Sie und
notieren Sie:

Name
Herkunft
Wohnort
Sprachen

→ Ü 4 – 5

Buenos días!

Andrés

Merhaba!

Gönül

A 3
Fragen Sie im Kurs.
Machen Sie Porträts.

→ Ü 6 – 7

Fragen und antworten

Hallo, wie heißt du?	Ich heiße Martina.
Woher kommst du?	Ich komme aus Italien.
Wo wohnst du?	In Rom.
Welche Sprachen sprichst du?	Ich spreche Italienisch und Englisch.

Guten Tag, wie heißen Sie?	Ich heiße Andrés García.
Woher kommen Sie?	Aus Lateinamerika. Aus Mexiko.
Und wo wohnen Sie?	Ich wohne in Mexiko, in Puebla.
Welche Sprachen sprechen Sie?	Ich spreche Spanisch, Englisch und Deutsch.

1

Adresse, Telefonnummer

1.6

A 4
Begrüßen und
vorstellen
Hören Sie.
Wie heißen die
Personen?
Woher kommen sie?

→ Ü 8–9

1
● Guten Tag, ich bin Gertrud Steiner.
○ Angenehm, ich heiße Jorgos Papadopoulos.
● Woher kommen Sie, Herr Papadopoulos?
○ Aus Patras.
● Patras? Wo liegt das?
○ Im Westen von Griechenland!
● Aha.
○ Und woher kommen Sie?
● Aus Deutschland, ich wohne in Berlin!

2
○ Hallo, Pedro!
● Hallo, Laura! Das ist Bruno.
○ Hallo, Bruno.
● Und das ist Laura!
■ Hallo, Laura.
○ Woher kommst du, Bruno?
■ Aus Portugal. Und du?
○ Aus Lateinamerika, aus Chile.

1.8

A 5
Zahlen
Hören Sie.
Notieren Sie:

Telefonnummer
Adresse
Postleitzahl

→ Ü 10 – 11

● Und wie ist die Telefonnummer?
○ Null – drei – null – vier – drei – sechs – sieben –
   acht – zwei – null – neun.
○ Danke, und wie ist die Adresse?
● Berlin, Lausitzer Platz 4.
○ Und die Postleitzahl?
● Eins – null – neun – neun – sieben.
○ Vielen Dank.

A 6
a) Machen Sie
ein Interview.
b) Stellen Sie
den Partner /
die Partnerin vor.

Vorstellen	
Wer ist das?	Das ist Bruno.
Guten Tag, ich bin Gertrud Steiner.	Angenehm, ich heiße Jorgos Papadopoulos.
Woher kommen Sie, Herr Papadopoulos?	Aus Patras.
Patras? Wo liegt das?	Im Westen von Griechenland.
Und woher kommen Sie?	Aus Deutschland, ich wohne in Berlin.
Wie ist die Adresse, bitte?	Berlin, Lausitzer Platz 4.
Und wie ist die Telefonnummer?	Null drei null vier drei …

Informationen suchen und ordnen

1

> Guten Tach! Mein Name ist Werner.
> Ich bin eine Comicfigur.
> Ich komme aus Kiel und wohne in Knöllerup.
> Kiel liegt im Norden von Deutschland,
> in Schleswig-Holstein.
> Ich spreche Deutsch – Comicdeutsch.

A 7

a) Hören Sie und notieren Sie:

1 ____
2 ____
3 _A_
4 ____

→ Ü 12 – 13

2

Ich heiße Akemi Waldhäusl. Der Vorname „Akemi"
ist japanisch. Der Name „Waldhäusl" ist deutsch. Ich lebe
in Österreich, in Innsbruck. Innsbruck liegt im Westen
von Österreich. Ich komme aus Japan. Ich bin Japanerin
und Österreicherin.
Ich spreche drei Sprachen: Japanisch, Englisch und Deutsch.

3

4

transit text
Deutsch Chinesisch
Russisch Polnisch

Barbara Ströbel
Bahnhofstraße 15
D - 70372 Stuttgart
Telefon: 0049 711 4579113
transit@t-online.de

Das ist Sergei Sokolovski. Sergei lernt Deutsch. Er wohnt in
Dresden, Nordstraße 20. Die Postleitzahl ist 01099.
Familie Sokolovski kommt aus Minsk. Minsk liegt im Zentrum von
Weißrussland. Sergei spricht vier Sprachen: Weißrussisch,
Russisch, Englisch und ein bisschen Deutsch.

Name	Herkunft	Wohnort	Sprache(n)	Adresse – Telefonnummer

b) Lesen Sie und notieren Sie.

→ Ü 14

Zahlen

1.13
A 8
a) Hören Sie.
b) Hören Sie noch einmal und sprechen Sie die Zahlen.
→ Ü 15

1.14
A 9
Welche Telefonnummer hören Sie? Notieren Sie A–D.
→ Ü 16

0	null	10	zehn
1	eins	11	**elf**
2	zwei	12	**zwölf**
3	drei	13	dreizehn
4	vier	14	vierzehn
5	fünf	15	fünfzehn
6	sechs	16	**sech**zehn
7	sieben	17	**sieb**zehn
8	acht	18	achtzehn
9	neun	19	neunzehn
		20	**zwanzig**
		21	einundzwanzig

Christoph Keller
Graphiker
Telefon
(0041)79-228 28 46   2 ___

Petra Graf
Lehrerin
Telefon
(0049)174-300 32 49   3 ___

Silvia Keller
Buchhändlerin
Telefon
(0041) 61-781 24 77   4 ___

1 ___

Kontinente, Länder, Sprachen

A 10
Spielen Sie.
→ Ü 17

Deutsch lernen

1.18
A 11
a) Lesen Sie.
b) Welches Wort hören Sie? Notieren Sie.
→ Ü 18

__ hören

__ lesen

__ sprechen

__ schreiben

__ diskutieren

__ ein Interview machen

__ notieren

__ markieren

__ zuordnen

Deutsch hören und sprechen

1. **S**prache (_1_) hei**ß**en (__) woh**er** (__) **g**uten Ta**g** (__)

2. **lie**gt (__) du spri**ch**st (__) se**ch**zehn (__) **k**ommen (__)

3. au**s** (__) **s**ieben (__) **R**om (__) **B**ern (__)

4. **v**ielen Dank (__) du kom**mst** (__) **Z**entrum (__) Franz**ö**sisch (__)

A 12
a) Schließen Sie
die Augen und hören
Sie zu.
b) Notieren Sie
die Reihenfolge.
c) Sprechen Sie.

Alphabet

A a	[ɑː]	F f	[ɛf]	K k	[kɑː]	P p	[peː]	U u	[uː]	Z z	[tsɛt]
B b	[beː]	G g	[geː]	L l	[ɛl]	Q q	[kuː]	V v	[fau]	ß	[ɛsˈtsɛt]
C c	[tseː]	H h	[hɑː]	M m	[ɛm]	R r	[ɛr]	W w	[veː]	Ä ä	[ɛː]
D d	[deː]	I i	[iː]	N n	[ɛn]	S s	[ɛs]	X x	[ɪks]	Ö ö	[øː]
E e	[eː]	J j	[jɔt]	O o	[oː]	T t	[teː]	Y y	[ˈʏpsilɔn]	Ü ü	[yː]

a b **c** d e **f** g h i j k l m n o p q r s t u v w x y . . z

a b c d e f g h i j k l m n o p q r s t u v w x y . . z

A 13
Lesen Sie
halblaut mit.

A 14
a) Sprechen Sie
rhythmisch.
b) Markieren Sie
einen Rhythmus.
Sprechen Sie.

Akzent, Pause, Sprechmelodie

Das ist Urs.
Er wohnt in Bern.
Und Andrea? ↗
Sie wohnt in Hamburg. ↘

Das Akzentwort sprechen Sie lauter.
Kurze Sätze sprechen Sie ohne Pause.
Die Sprechmelodie steigt am Satzende.
Die Sprechmelodie fällt am Satzende.

A 15
a) Lesen Sie mit.
Sprechen Sie.

Spanien   Spanisch   Italien   Italienisch   Frankreich   Französisch

Er spricht Spanisch.   Er heißt Pedro.   Sie wohnt in Berlin.

Und du? ↗   Wo wohnst du? ↗   In Puebla. ↘   In Mexiko. ↘

b) Lesen
Sie halblaut mit.
Sprechen Sie.

Dialoge sprechen

● Hallo, ich heiße Gertrud! ↘
  Und du? ↗ Wie heißt du? ↗
○ Ich heiße Martina! ↘
● Woher kommst du? ↗

○ Aus Italien. ↘
● Aus Rom? ↗
○ Ja. ↘ Und du? ↗
● Aus Berlin. ↘

A 16
a) Lesen Sie mit.
b) Sprechen Sie
mit dem Partner /
der Partnerin.

Text: „sie" und „er"

A 17

a) Lesen Sie.
Wer ist „sie"?
Wer ist „er"?

Andrea kommt aus Deutschland.

    Sie wohnt in Hamburg.

    Sie spricht Deutsch und Englisch.

Urs kommt aus der Schweiz.

    Er wohnt in Bern.

    Er spricht Deutsch, Französisch und Spanisch.

b) *Ihre* Sprache:
Schreiben Sie und
vergleichen Sie.

→ Ü 19

Andrea comes from Germany.

    She lives in Hamburg.

Urs comes from Switzerland.

    He lives in Bern.

_____

_____

_____

_____

Personen ansprechen: „du" oder „Sie"

A 18

a) Sehen Sie die
Bilder an:
„du" oder „Sie"?

1

2

1.4 b) Hören Sie
A 2 (Dialog 2 und 3).
Welches Bild passt?

→ Ü 20

● Guten Tag!
○ Guten Tag! Buenos días!
● Wie heißt du?
○ Ich heiße Andrés, Andrés García.
● Woher kommst du?
○ Ich komme aus Lateinamerika, aus Mexiko.
● Und wo wohnst du?
○ In Puebla.
● ...

Bild _____

● Guten Tag!
○ Guten Tag! Merhaba!
● Wie heißen Sie?
○ Ich heiße Gönül, Gönül Aktan.
● Woher kommen Sie?
○ Aus der Türkei.
● Und wo wohnen Sie?
○ Ich wohne in der Türkei, in Ankara.
● ...

Bild _____

Grammatik

Satz: Aussagesatz und W-Frage

● Ich heiße Andrés. Wie heißt du?
○ Ich heiße Anna. Woher kommst du?
● Ich komme aus Mexiko.

○ Wo wohnst du?
● Ich wohne in Puebla.
○ Welche Sprachen sprichst du?

A 19
a) Markieren Sie die Verben.

b) Schreiben Sie die Sätze in die Tabelle.

→ Ü 21 – 25

Aussagesatz		
Ich	*heiße*	*Andrés.*
1	2	
	Verb	

W-Frage			
W			?
W	1	2	?
W			?
W			?
	Verb		

Aussagesatz und W-Frage

Das Verb ist in Position _____.

Regel

Ergänzen Sie.

Satz: Aufforderungssatz

Lesen Sie.   Hören Sie.   Fragen Sie im Kurs.   Markieren Sie die Verben.

A 20
a) Lesen Sie.

b) Schreiben Sie die Sätze in die Tabelle.

→ Ü 26

		.
1	2	.
		.
		.

Aufforderungssatz

Das Verb ist in Position _____.

Regel

Ergänzen Sie.

Präpositionen
Woher? – Aus ...
Ich komme **aus** Italien / **aus** Mexiko /
aus Südamerika.
Ich komme **aus der** Schweiz / **aus der** Türkei.
Ich komme **aus dem** Libanon / **aus dem** Iran.
Ich komme **aus den** Niederlanden /
aus den USA.

Wo? – In ... ☉
Ich wohne **in** Italien / **in** Mexiko /
in Südamerika.
Ich wohne **in der** Schweiz / **in der** Türkei.
Ich wohne **im** Libanon / **im** Iran.
Ich wohne **in den** Niederlanden /
in den USA.

Ankunft

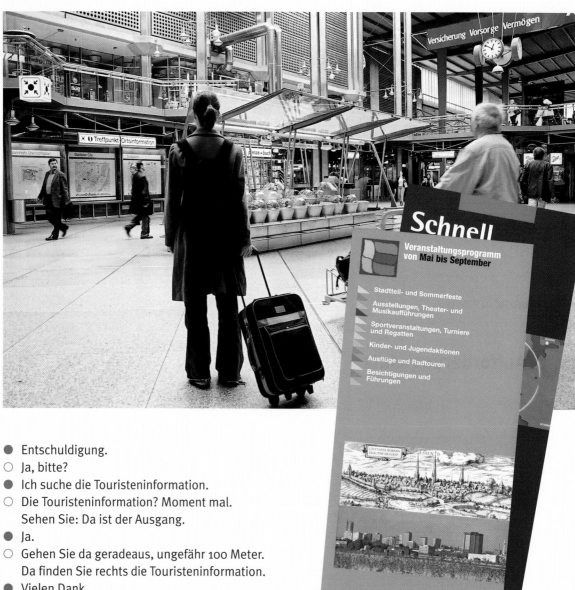

1.25

A 1

Sich informieren

Hören Sie und lesen Sie. Was sucht die Frau?

→ Ü 1 – 2

● Entschuldigung.
○ Ja, bitte?
● Ich suche die Touristeninformation.
○ Die Touristeninformation? Moment mal.
  Sehen Sie: Da ist der Ausgang.
● Ja.
○ Gehen Sie da geradeaus, ungefähr 100 Meter.
  Da finden Sie rechts die Touristeninformation.
● Vielen Dank.
○ Bitte.

1.26

A 2

a) Hören Sie und lesen Sie. Was möchte die Frau?

b) In der Touristen-information: Was möchten Sie? Spielen Sie.

→ Ü 3 – 4

● Guten Tag!
○ Guten Tag!
● Ich möchte einen Stadtplan.
○ Hier, bitte.
● Haben Sie auch ein Kulturprogramm?
○ Hier ist der Stadtprospekt, da finden Sie das
  Kulturprogramm.
● Haben Sie hier auch das Touristen-Ticket?
○ Nein, leider nicht. Tickets gibt es im Bahnhof.
● Ich habe noch eine Frage: Wo ist das
  Hotel Lindenhof?
○ Das ist im Zentrum ...

© Polyglott Verlag GmbH, München

A 3
Sich orientieren
Wo ist das Hotel?
Suchen Sie einen
Weg. Notieren Sie
die Straßen.

● ... Sehen Sie hier, das ist ganz einfach. Wir sind
hier. Gehen Sie die Kettwiger Straße Richtung
Zentrum, ungefähr 200 Meter. Da ist links das
Theater und der Theaterplatz. Sie gehen rechts
weiter, dann kommt der Kennedyplatz.
Dort beginnt die Logenstraße. Sie gehen ein-
fach geradeaus. Und da ist das Hotel Lindenhof,
Logenstraße 18.
○ Ist das weit?
● Nein, Sie gehen nur 5 bis 10 Minuten.
○ Danke.

A 4
a) Hören Sie und lesen
Sie. Wie geht die
Frau?

→ Ü 5

b) Hören Sie. **1.28**
Was sucht die Frau?
Wie lange braucht sie?

→ Ü 6

Im Hotel

● Guten Tag, bitte?
○ Guten Tag, mein Name ist Hlasek.
● Laasek, Laasek, Moment bitte! Entschuldigung,
wie schreibt man das?
○ Mit „Ha-eL" am Anfang.
● Ach, hier, Hlasek Milena. Ein Einzelzimmer, drei
Nächte. Stimmt das, Frau Hlasek?
○ Richtig.
● Bitte hier unterschreiben. Und das ist der
Schlüssel. Sie haben Zimmer 12. Frühstück gibt
es von sieben bis zehn Uhr.
● Danke.

Meldeformular

Name des Gastes:	*Hlasek* Name	*Milena* Vorname
Name der Firma:	*LKG Ceska* Firma	
Adresse:	*Na Porici 16* Straße	
	10820 - Prag 1 PLZ / Wohnort	
	Tschechien Land	
	0042/02/21433 Telefon	*21433 - 17* Telefax
	milena_h@net.com E-Mail-Adresse	
Datum:	*27.06.* von	*30.06.* bis
Unterschrift:		

A 5 **1.29**
**Sich im Hotel
anmelden**
a) Hören Sie und
lesen Sie.
Wie heißt die Frau?
Wie lange bleibt sie?

→ Ü 7

b) Variieren Sie den
Dialog. Spielen Sie.

→ Ü 8

Sich informieren
Entschuldigung!
Ich suche die Touristeninformation.
Wo ist das Hotel Lindenhof, bitte?

Ja, bitte?
Gehen Sie da geradeaus, ungefähr 100 Meter.
Das ist im Zentrum. Sehen Sie hier.
Wir sind hier. Gehen Sie Richtung Zentrum ...

A 6
**Einen Weg
beschreiben**
Beschreiben Sie einen
Weg auf dem Stadt-
plan. Der Partner /
Die Partnerin sucht
den Ort.

Ich möchte einen Stadtplan.
Haben Sie ein Kulturprogramm?
Haben Sie hier auch das Touristen-Ticket?
Vielen Dank.

Hier, bitte.
Gerne.
Nein, leider nicht. Tickets gibt es im Bahnhof.
Bitte.

Ein Tag in Essen

A 7
Informationen austauschen
a) Was interessiert Sie? Lesen Sie und vergleichen Sie.
b) Sammeln Sie Wörter.

→ Ü 9

Aalto-Theater
Musik-Theater (Oper und Ballett), erbaut 1988 von Alvar Aalto, liegt im Stadtgarten von Essen

Grugapark
im Süden von Essen, großer Park und Grugahalle: Sport, Konzerte und Ausstellungen

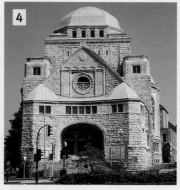

Museum Folkwang
Bilder, Grafiken, Skulpturen 19. und 20. Jahrhundert; große Fotografie-Sammlung

Alte Synagoge
1913 erbaut, 1938 von den Nazis zerstört, jetzt Museum

Zeche Zollverein
Kohleindustrie bis 1970, jetzt Kulturzentrum, UNESCO-Kulturerbe

1.30
A 8
Lesen Sie und hören Sie. Was machen Milena und Beatrix zusammen? Vergleichen Sie mit A 7.
→ Ü 10 – 11

A 9
Eine Stadt vorstellen
Was ist in Ihrer Stadt bekannt? Stellen Sie Ihre Stadt vor.
→ Ü 12

Milena besucht eine Freundin in Essen: Beatrix. Sie lesen Prospekte und machen Pläne.

- ● Hast du morgen Zeit, Beatrix?
- ○ Nicht viel, nur zwei Stunden. Wir gehen zuerst in die Altstadt. Dort siehst du das Münster, das ist sehr alt. Und die Alte Synagoge. Die ist sehr bekannt.
- ● Ich möchte auch zum Aalto-Theater.
- ○ Das findest du auch allein. Und das Museum Folkwang ist auch nicht weit, da gibt es eine Fotoausstellung, ganz toll! Und abends komme ich zum Hotel, um 7 Uhr.
- ● Oh, das ist schön.

Internationale Wörter suchen

1 Beach-Volleyball
Spitzensport direkt im Stadtzentrum,
die Masters-Tour macht Station in Essen
Ort: Kennedyplatz
Fr. 28.06. bis So. 30.06.
Ab Hauptbahnhof ca. 10 Minuten zu Fuß

2 Colosseum Theater Essen
Der Musical-Welterfolg „Elisabeth" zeigt das
Leben der Kaiserin ‚Sissi'
Sa. 15.00 und 20.00 Uhr
So. 14.30 und 19.00 Uhr
Tickets: 44,– bis 83,– Euro
U11, U17, U18 Station Berliner Platz

3 Amerikanische Meisterfotografen
(Clark, Eggleston, Friedlander, Winogrand)
Fotos von 1950 bis 2000
Museum Folkwang
14. Juni – 11. August

4 Open Air Filmfestival
Der Sommer-Treffpunkt für Filmfreunde, eine
Woche Film und Feiern
Zeche Zollverein
28. Juni bis 5. Juli
Eintritt 7,50 Euro
Straßenbahn Linie 107, Station Zollverein

5 Tamilisches Kulturfest
mit Musik, Tanz und Spezialitäten: Lernen Sie
die faszinierende Kultur der Tamilen kennen
Ort: Jugendzentrum Essen
Sa. 29. Juni, ab 15.00 Uhr
Eintritt frei
U17 Haltestelle Planckstraße oder U18

6 Aalto Theater
Das Lied von der Erde
Ballett nach der Musik von Gustav Mahler
So. 30.06, 18.00 Uhr

A 10
a) Ordnen Sie
die Texte:

> Musik ⑤
> Sport
> Fotos

b) Sammeln Sie Wörter
zu den Themen.

→ Ü 13 – 15

Um Wiederholung bitten

1
● Kommst du zum Beach-Volleyball am Kennedyplatz?
○ Wie bitte?
● Am Ken-ne-dy-platz.
○ Was ist da?
● Du weißt doch, Beach-Volleyball.

2
● Bitte, wo ist die Fotoausstellung?
○ Im Grugapark, in der Orangerie.
● Wie bitte, O...? Buchstabieren Sie bitte!
○ O – eR – A –En – Ge – E – eR – I – E, wie Orange.
● Ach so. Danke.

A 11   1.31
a) Was sagt der Mann?
Notieren Sie.

b) Buchstabieren Sie
Namen im Kurs.

→ Ü 16

Die Ausstellung ist im Grugapark,
in der Orangerie.

In der O – ran – ge – rie.

O – eR – A ...
[→ Buchstabiertabelle S. 11]

Wie bitte? / Bitte noch einmal! / Bitte langsam!

Wie schreibt man das? / Buchstabieren Sie bitte!

Ach so! / Danke! / Vielen Dank!

A 12
Wählen Sie ein
Programm von A 10.
Spielen Sie Dialoge
wie in A 11.

Wörter auf dem Stadtplan

A 13
a) Wo ist der Bahnhof? Suchen Sie.
b) Ordnen Sie Namen:

...straße
...gasse
...platz

A 14
Markieren Sie mit drei Farben.

maskulin: *der*
neutrum: *das*
feminin: *die*

der Bahnhof
das Hotel
das Kino
die Kirche
das Museum
der Park
die Post
das Theater
die Touristen-
information

die Straße
die Gasse
der Platz
der Weg

Hotelreservierung

A 15
Füllen Sie das Formular aus.
→ Ü 17

A 16
Besuchen Sie die Homepage von Berlin, Wien, Zürich, ...
Suchen Sie drei Hotels.
→ Ü 18 – 20

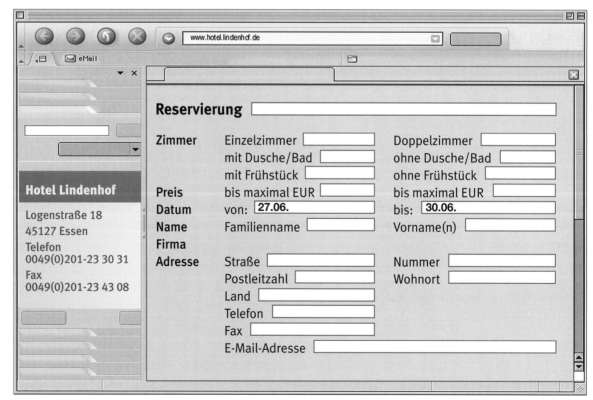

Rhythmus

Ent – schul – di – gung   Bahn – hof   im Bahn – hof   das ist im Zen – trum

wir sind hier   zehn Mi – nu – ten   buch – sta – bie – ren Sie bit – te   dan – ke

vie – len Dank

A 17
a) Klopfen Sie den Rhythmus:
● laut   • leise
b) Sprechen Sie.

● Guten Tag! ↘   ○ Guten Tag! ↘

● Wo ist die Touristeninformation? ↗   ○ Da ist die Touristeninformation. ↘

● Ich suche das Hotel Lindenhof. ↘   ○ Lindenhof? ↗ Moment, ... hier ist der Stadtplan. Das Hotel ist im Zentrum. ↘

A 18
Sprechen Sie.

Akzent und Sprechmelodie

Ich suche das Hotel Lindenhof. ↘   Die Akzentsilbe sprechen Sie etwas höher, die Sprechmelodie fällt. ↘

Haben Sie ein Kulturprogramm? ↗   Die Akzentsilbe sprechen Sie etwas tiefer, die Sprechmelodie steigt. ↗

A 19
Sprechen Sie nach.

Aussage: Ich möchte einen Stadtplan. ↘   Mein Name ist Hlasek. ↘

W-Frage: Wie ist Ihr Name? ↗   Wie schreibt man das? ↗

Ja-/Nein-Frage: Haben Sie ein Kulturprogramm? ↗   Ist das weit? ↗

Nachfragen: Wie bitte? ↗   Die Touristeninformation? ↗

A 20
Sprechen Sie.

● Woher kommen Sie? ( )

○ Aus Wien. ( )

● Wie? Wie bitte? ( )

○ Aus Wien. ( )

● Ah, aus Berlin! ( )

○ Nein, aus Wien! ( )

A 21
Markieren Sie die Sprechmelodie. Sprechen Sie.

Schwierige Wörter aussprechen

Touristeninformation ↗   die Touristeninformation ↗   Wo ist die Touristeninformation? ↗

Frühstück ↘   mit Frühstück ↘   Ein Zimmer mit Frühstück. ↘

Einzelzimmer ↘   ein Einzelzimmer ↘   Ich möchte ein Einzelzimmer. ↘

A 22
Sprechen Sie langsam/schnell.

Artikelwörter und Substantiv: bestimmter Artikel

A 23 a) Vergleichen Sie.	Deutsch:	**der** Weg (maskulin)	**das** Hotel (neutrum)	**die** Straße (feminin)
	Ihre Sprache:	_____	_____	_____

b) Ordnen Sie zu.

→ Ü 21

das	der	die

der _____	_____	_____
maskulin	neutrum	feminin

A 24
Vergleichen Sie.
Markieren Sie (Verb)
und Artikelwörter.
wie in A 23.

→ Ü 22

Nominativ und Akkusativ

● Wo (ist) bitte der Bahnhof?

● Wo ist bitte das Hotel Lindenhof?

● Wo ist bitte die Touristeninformation?

○ Hier haben Sie den Stadtplan. Sehen Sie, da finden Sie den Bahnhof.

○ Gehen Sie geradeaus. Da finden Sie das Hotel Lindenhof.

○ Gehen Sie geradeaus. Da finden Sie rechts die Touristeninformation.

Regel

Ergänzen Sie.

Bestimmter Artikel: Nominativ → Akkusativ

der → _____

das → _____

die → _____

Verben mit Akkusativ:

Ich suche den Bahnhof.
Da finden Sie den Bahnhof.
Hast du den Prospekt?
Ich möchte den Stadtplan.

Satz: Ja-/Nein-Frage und W-Frage

A 25
a) Lesen Sie
und markieren Sie
die Fragen.

● Hallo, Beatrix. Hast du morgen Zeit?
○ Ja. Wir gehen in die Stadt.
● Wo ist die Alte Synagoge?
○ In der Altstadt.

● Ist das weit?
○ Nein. Wie heißt das Hotel?
● Lindenhof.

b) Ordnen Sie
die Fragen.

→ Ü 23 – 24

Ja-/Nein-Frage			Antwort
Hast	*du*	*morgen Zeit?*	Ja.
1	2	?	Nein.

W-Frage			Antwort
1	2	?	In der Altstadt.
	2	?	Lindenhof.

Regel

Ergänzen Sie.

Ja-/Nein-Frage

Das Verb ist in Position _____.

Die Antwort ist „_____" oder „_____".

W-Frage

Das Verb ist in Position _____.

Verb und Subjekt: Konjugation Präsens

1
- ● Ich habe noch eine Frage:
  Wo ist das Hotel Lindenhof?
- ○ Sehen Sie hier, das ist ganz einfach.
  Wir sind hier. Gehen Sie die
  Kettwiger Straße Richtung Zentrum,
  ungefähr 200 Meter. Sie gehen rechts weiter,
  dann kommt der Kennedyplatz. Da ist die
  Logenstraße. Gehen Sie einfach geradeaus.
  Da finden Sie das Hotel Lindenhof.

2
- ● Hast du Zeit, Beatrix?
- ○ Nicht viel, nur zwei Stunden.
  Wir gehen in die Altstadt.
- ● Ich möchte auch zum Aalto-Theater.
- ○ Das findest du auch allein. Und das
  Museum Folkwang ist auch nicht weit.
- ● Gut.

Milena und Beatrix gehen in die Altstadt.

A 26

a) Markieren Sie das Verb und das Subjekt.

b) Ergänzen Sie die Tabelle.

→ Ü 25 – 26

	gehen	finden	haben	**Endung**	⚠ sein
Singular					
ich	geh **e**	find **e**	hab ____	ich - _e_	bin
du	geh **st**	find ____	ha ____	du - ____	bist
Sie	geh ____	find ____	hab **en**	Sie - ____	sind
er es sie	geh **t**	find **et**	ha **t**	er es - ____ sie	_____
Plural					
wir	geh ____	find **en**	hab **en**	wir - ____	_____
Sie	geh ____	find **en**	hab **en**	sie - ____	sind
sie	geh ____	find **en**	hab **en**	sie - ____	sind

Verb: – / Endung

⚠ ich spreche, du sprichst, Sie sprechen, er/es/sie spricht, wir sprechen

---

Präpositionen
Wohin?
Kommst du **zum** Beach-Volleyball?
Ich möchte auch **zum** Aalto-Theater.
Wir gehen **in die** Altstadt.

Wo? ☉
Das ist **am** Kennedyplatz.
Die Ausstellung ist **in der** Orangerie.
Tickets gibt es **im** Bahnhof.
Das ist **im** Zentrum.

3

Das Konzert

Es ist heiß. Viele Leute sind da. Die Bühne ist dunkel. Das Licht geht an.

Das Konzert beginnt: Auf der Bühne steht eine Band, die „Young Gods". Links ist Bernard Trontin, in der Mitte Franz Treichler und rechts Alain Monod. Die Young Gods machen Musik. Sie spielen Rockmusik. Sie komponieren auch Ballettmusik und produzieren CDs.

1.39

A 2
Notieren Sie.

Name
Alter
Instrument

→ Ü 1–2

- Hallo, Franz. Hast du Zeit?
  Nur drei, vier Fragen?
○ Ja, ist okay.
- Danke. Franz, du bist der Sänger.
  Wie lange singst du schon?
○ 20 Jahre.
- Spielst du auch ein Instrument?
○ Ja, natürlich.

- Was spielst du?
○ Ich spiele Gitarre.
- Wie alt bist du und woher kommst du?
○ Ich bin 35 und ich komme aus Genf in der
  Schweiz.
- Noch eine Frage: Welche Sprachen sprichst du?
○ Ich spreche Französisch, Deutsch, Spanisch und
  Englisch.

Im Studio: Zahlen und Musik

1.40

A 3
Zahlen und Daten
Welche Zahlen
hören Sie?

→ Ü 3–4

Die Young Gods sind im Studio. Sie machen eine CD. Hier stehen ein Computer, ein Mikrofon und Musikinstrumente. Alain macht ein Experiment: Er mischt Zahlen und Musik.

Die Welt-Tour

Unterwegs ... on the road ...
Die „Young Gods" sind acht Monate unterwegs: Sie starten in Europa – von Januar bis März sind sie in der Schweiz, in Deutschland, Polen und Russland. Im Mai und Juni gehen sie dann sechs Wochen nach Nord- und Südamerika: USA, Mexiko und Brasilien. Im August fliegen sie nach Asien: Sie spielen in Peking und Bangkok. Im September und Oktober sind sie wieder in Europa, in Österreich, in der Tschechischen Republik, Ungarn, Italien, Spanien und Portugal. Im November und Dezember haben sie frei.

A 4 🎵 1.41
Informationen zu Ort und Zeit
a) Wo spielen die Young Gods im März? Wohin gehen sie im Juni?
→ Ü 5 – 6
b) Fragen Sie den Partner / die Partnerin.

	Woche 1	Woche 2	Woche 3	Woche 4
Januar			CH: Zürich, Bern	CH: Genf
Februar			Festival Frison	
März	D: Potsdam, Berlin	D: Bremen, Hamburg	PL: Warschau, Lodz	RU: Moskau
April				
Mai	USA: New York	USA: San Francisco	Mexiko: Mexiko City	Mexiko: Mexiko City
Juni	Brasilien: São Paulo	Brasilien: Curidiba		
Juli			F: Lyon, Paris, Mulhouse	GB: London, Manchester
August	China: Peking	Thailand: Bangkok		
September		A: Wien, Innsbruck	CZ: Prag	H: Budapest, A: Graz
Oktober	I: Mailand, Rom	E: Barcelona, Madrid	P: Lissabon, Porto	

(Young Gods Tour-Plan)

Die Youngs Gods spielen in 7 Städten in der Schweiz und in Deutschland.

Monat für Monat „on the road" ... Im März in Deutschland ... Am Ersten gehen sie nach Potsdam, am Zweiten fahren sie nach Berlin, am Dritten sind sie in ... Woche für Woche ... von Montag bis Sonntag ... auch am Wochenende.

A 5 🎵 1.42
a) Wann sind die Young Gods in Deutschland?
→ Ü 7
b) Vergleichen Sie die Radiomeldung und den Tour-Plan. Was ist auf dem Plan anders?
c) Wo und wann spielen die Young Gods in der Schweiz?
→ Ü 8

SCHWEIZ
Januar
Montag 16.1. Zürich
Dienstag 17.1. ---
Mittwoch 18.1. Bern
Donnerstag 19.1. ---
Freitag 20.1. ---
Samstag 21.1. Genf
Sonntag 22.1. ---

DEUTSCHLAND
März
Fr 1.3. Potsdam
Sa 2.3. Berlin
So 3.3. Berlin
Mo 4.3. ---
Di 5.3. Bremen
Mi 6.3. ---
Do 7.3. Hamburg
Fr 8.3. Hamburg

Informationen austauschen: Ort und Zeit

Wo spielen die Young Gods im März?	In Deutschland, in Hamburg.
Wohin gehen sie im Juni?	Nach Lateinamerika.
Von wann bis wann sind sie in der Schweiz?	Vom sechzehnten bis einundzwanzigsten Januar.
Wie lange sind sie in Asien?	Zwei Wochen.
Wann spielen die Young Gods in Bremen?	Am fünften März.

Im Januar gehen die Young Gods nach ...
Am Montag spielen sie in ...

A 6
Die Tour in der Schweiz: Machen Sie eine Radiomeldung.

3

Das Mozart Quartett Salzburg

A 7
Informationen sammeln und vergleichen
a) Mozart Quartett: Wer ist das? Was machen sie?
→ Ü 9

b) Das Mozart Quartett und die Young Gods. Vergleichen Sie.
→ Ü 10

Das „Mozart Quartett Salzburg" gibt es seit 1996. Die vier Musiker und Musikerinnen spielen Klassik. Links ist Werner Neugebauer. Er kommt aus Graz. Er spielt Violine. Daneben ist Claudia Hofert. Sie kommt aus Deutschland – aus Ahrensburg bei Hamburg. Sie spielt Viola. Nanni Zimmerebner kommt aus Österreich, aus Salzburg. Sie spielt Violine. Rechts ist Matthias Beckmann. Er spielt Violoncello. Er kommt aus Nürnberg.
Die vier sind heute sehr bekannt: Sie treten im In- und Ausland auf. Sie spielen Stücke von Mozart, Schubert, Boccherini, ...
Das Mozart Quartett unterstützt Schulen in Afrika: Die Initiative heißt „Mozart goes Africa". Die Musiker spenden 5 Euro pro CD. Schüler und Schülerinnen in Afrika kaufen dann Bücher, Hefte und Bleistifte.

Musik, Musik, Musik

1.43   **A 8**
Über Musik sprechen
a) Ordnen Sie Dialoge und Bilder zu.

	Bild
Dialog 1	

b) Was sagen die Leute? Sammeln Sie.
→ Ü 11 – 12

A

B

C

1 ● Hallo, Christian.
○ Hallo, Viktoria, wie findest du das Konzert?
● Spitze, sehr gut! Die Musik ist super! Und du?
○ Ich finde es schlecht.
  Der Sänger ist eine Katastrophe!
● Findest du? Welche Musik hörst du denn gerne?
○ Ich mag Jazz. Und du?
● Ich mag lieber Rock.
○ ...

2 ● Wie finden Sie das Violinkonzert?
○ Nicht schlecht. Und Sie?
● Das Konzert – schön!
  Die Solistin – einfach toll!
○ Wie heißt sie?
● Ich weiß auch nicht.
○ Haben Sie ein Programm?
● Ja, hier.
○ ...

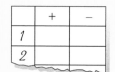

1.45   **A 9**
a) Wie finden Sie die Musik?

	+	−
1		
2		

b) Fragen Sie im Kurs: Wie finden Sie Musik 1, ...?

Gefallen ausdrücken

Magst du Volksmusik?	Nein, ich mag lieber Rock.
Mögen Sie Jazz?	Ja, ich mag Jazz.
Welche Musik hörst du gerne?	Klassik.
Welche Musik hören Sie nicht gerne?	Techno mag ich nicht.

Wie findest du das Konzert?	Spitze!
Wie finden Sie Mozart?	Sehr gut.

− ← Sehr schlecht.   Schlecht.   Nicht so gut.   Nicht schlecht.   Gut.   Schön.   Super!   Spitze!   Toll! → +

Texte verstehen: W-Fragen

Herbert Grönemeyer – Das Comeback

Nach einer langen Pause ist der Rocksänger Herbert Grönemeyer endlich wieder auf Tour. Er gibt im November Konzerte in Deutschland und in der Schweiz.

Grönemeyer geht mit seiner Platte „Mensch" auf Tour. Er sagt: „Die Platte ist traurig, aber auch optimistisch".
Grönemeyer ist sehr bekannt, nicht nur in Deutschland: Mit elf Millionen Platten ist er ein Star. Er singt und spielt schon lange. 1991 gibt er ein Konzert in Berlin vor 100 000 Zuschauern und im Praterstadion in Wien sind es 50 000 Fans. 1994 dann die Sensation: Grönemeyer spielt als erster deutscher Musiker für „MTV unplugged". Er singt auf Deutsch und auf Englisch. 1999 geht er mit der CD „Bleibt alles anders" auf Tour. Es kommen 600 000 Leute zu den Konzerten. Herbert Grönemeyer lebt in Deutschland und England. Er spielt auch Theater und in Filmen, zum Beispiel im Film „Das Boot". – Und jetzt das Comeback mit „Mensch".

DISKOGRAPHIE

2002	Mensch
1998	Bleibt alles anders
1995	Grönemeyer live
1995	Unplugged Herbert
1993	Chaos
1990	Luxus
1984	Bochum
...	

TOURDATEN

08.11.	Friedrichshafen
10.11.	Stuttgart
11.11.	Nürnberg
12.11.	Leipzig
14.11.	Hannover
15.11.	Köln
16.11.	Köln
18.11.	München
19.11.	München
20.11.	Zürich

Grönemeyer im Internet:

http://www.groenemeyer.de/

A 10
Suchen Sie Antworten:
Wer, was, wann, wo?
Markieren Sie im Text und notieren Sie.

→ Ü 13 – 15

Wer? Person	Was? Handlung/ Zustand/Sache	Wann? Zeit	Wo? Ort
Grönemeyer Fans	ist auf Tour gibt Konzerte		

Zahlen und W-Fragen
Wie viel?
Wie ist die Nummer?
Wo?
Wie lange?
Wann?

A 11 1.46
Wie viel, wann?
Notieren Sie Zahlen.

Musik

A 12
a) Ergänzen Sie die Mind-map.
b) Zeichnen Sie Ihre Mind-map.

→ Ü 16

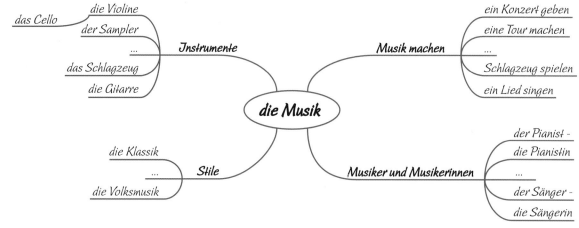

Datum, Monate, Wochentage

1.50
A 13
a) Lesen Sie und sprechen Sie mit.
b) Notieren Sie und markieren Sie Unterschiede und Regelmäßigkeiten:

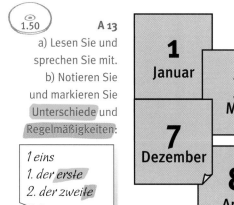

1 eins
1. der erste
2. der zweite

→ Ü 17

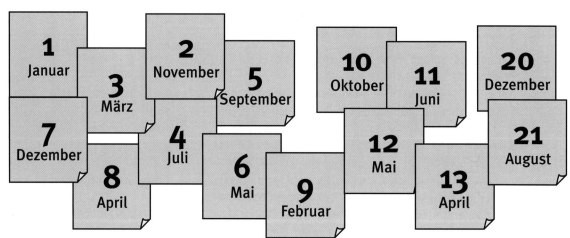

1.51
A 14
Sprechen Sie mit und markieren Sie den Akzentvokal.

→ Ü 18 – 19

Januar	Februar	März	April	Mai	Juni
Juli	August	September	Oktober	November	Dezember

A 15
a) Wann haben Sie Geburtstag?

→ Ü 20

b) Was ist am …? Sammeln Sie wichtige Daten.

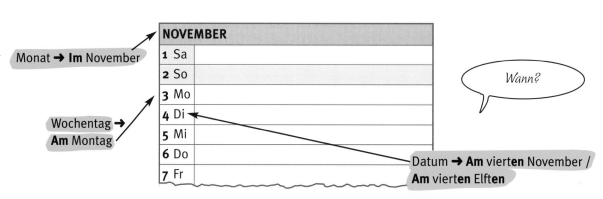

Vokale

super!!

toll   sehr gut

schön   fantastisch

spitze   wunderbar

Wie findest du das Konzert?

sehr schlecht

blöd

langweilig

schlecht

eine Katastrophe!!

A 16   1.52
Sprechen Sie emotional: ☺ / ☹

Lange und kurze Vokale

| Graz | Wien | Bremen | Oktober | Juni |

| Samstag | Mittwoch | September | Potsdam | Ungarn |

Graz – Samstag   Wien – Mittwoch   Bremen – September

Oktober – Potsdam   Juni – Ungarn

A 17   1.53
a) Lesen Sie halblaut mit. Sprechen Sie nach.
b) Sprechen Sie Paare.

finden   welche   hören   super   lieber   Sänger   Konzert   Katastrophe   Programm   denn

ich_mag   sehr_gut   welche_Musik   gerne_hören   Pop_und_Rock   nicht_gut_finden

A 18   1.54
Markieren Sie den Akzentvokal _ lang oder . kurz. Sprechen Sie.

Dialoge sprechen

● Hallo, Christian. ↘

○ Hallo, Viktoria, ↘ wie findest du das Konzert? ↗

● Spitze, sehr gut! ↘ Die Musik ist super! ↘ Und du? ↗

○ Ich finde es schlecht. ↘ Und der Sänger ist eine Katastrophe! ↘

● Findest du? ↗ Welche Musik hörst du denn gerne? ↘

○ Ich mag Jazz. ↘

A 19   1.55
a) Lesen Sie halblaut mit.
b) Sprechen Sie mit dem Partner / der Partnerin.

Sie lernen Wörter: Markieren Sie immer den Akzentvokal _ lang oder . kurz. Sprechen Sie dann die Wörter laut.

Unbestimmter und bestimmter Artikel: Funktion

A 20
a) Lesen Sie.
b) Markieren Sie Artikel und Substantiv.

● Morgen ist ein Konzert in Bremen.
○ Ein Konzert? Wer spielt da?
● Eine Band aus der Schweiz.
○ Wie heißt die Band?
● Young Gods.

○ Hast du eine CD?
● Ja, natürlich, hör mal. – Wie findest du die CD?
○ Gut. Sie gefällt mir sehr gut.
● Kommst du jetzt zum Konzert?
○ Ja, die Band ist super!

A 21
Lesen Sie. Vergleichen Sie Text und Bilder.

→ Ü 27

● Wer spielt da?
○ Eine Band aus Deutschland.

● Wie heißt die Band?
○ Kraftwerk.

Regel

Ergänzen Sie.

der, das, die • ein, ein, eine

Unbestimmter Artikel: _____ :

unbekannt oder im Text neu.

Bestimmter Artikel: _____ :

bekannt oder im Text nicht neu.

A 22
a) Lesen Sie.

Nominativ und Akkusativ (Singular)

● Heute ist ein Rock-Konzert. Ich habe noch ein Ticket.
○ Wann beginnt das Konzert?
● Um 20 Uhr.
○ Wer spielt da?
● Ein Rock-Sänger aus Deutschland.

● Wie heißt der Sänger?
○ Herbert Grönemeyer. Er hat eine CD, „Mensch". Die CD ist Spitze! Kommst du zum Konzert?
● Ja, gerne!
○ Okay, hier ist das Ticket.

b) Sortieren Sie die Artikel.

→ Ü 28 – 30

Singular	maskulin	neutrum	feminin
Nominativ	_der_ / _____ Sänger	_____ / ____ Ticket	_____ / eine CD
Akkusativ	den / _einen_ Sänger	das / ____ Ticket	die / _____ CD

Regel

Ergänzen Sie Artikelformen und Regeln.

Unbestimmter und bestimmter Artikel: Nominativ und Akkusativ (Singular)

a) maskulin:

Nominativ ≠ Akkusativ

Nominativ: _____

⚠ Akkusativ: _____

b) neutrum: _das / ein_ _____

Nominativ = Akkusativ

c) feminin:

Nominativ _____

Grammatik

Unbestimmter und bestimmter Artikel: Plural

Singular

Der Musiker spielt ein Stück von Mozart.
Die Musikerin unterstützt eine Schule in Afrika.
Eine Schülerin in Afrika kauft dann ein Buch, ein Heft und einen Bleistift.

Plural

Die Musiker spielen ☐ Stücke von Mozart.
Die Musikerinnen unterstützen ☐ Schulen in Afrika.
☐ Schülerinnen in Afrika kaufen dann ☐ Bücher, ☐ Hefte und ☐ Bleistifte.

A 23

a) Vergleichen Sie die Texte. Markieren Sie die Artikel im Singular und im Plural.

b) Ergänzen Sie die Plural-Artikel.

→ Ü 31 – 33

Bestimmter Artikel

Nominativ Singular	Akkusativ Singular	Nominativ/ Akkusativ Plural
der	den	
das	das	_____
die	die	

Unbestimmter Artikel

Nominativ Singular	Akkusativ Singular	Nominativ/ Akkusativ Plural
ein	einen	
ein	ein	Null -Artikel
ein	eine	

Substantiv: Plural

Singular	Plural		Singular	Plural
der Musiker	*die Musiker*		eine Schülerin	_____
ein Stück	_____		ein Buch	_____
die Musikerin	_____		ein Bleistift	_____
eine Schule	_____		ein Heft	_____

A 24

a) Ergänzen Sie Artikel und Substantive im Plural.

Plural-Endungen

-e	-n	-(n)en	"-er	☐
_____	_____	*Musikerinnen*	_____	*Musiker* ☐
_____				_____
_____				

b) Sortieren Sie die Substantive im Plural.

Null -Artikel

Hast du heute ☐ Zeit?
Die Young Gods machen ☐ Musik.
Sie spielen ☐ Rockmusik.

Franz spielt ☐ Gitarre.
Werner Neugebauer spielt ☐ Violine.
Magst du ☐ Volksmusik/Jazz?

4 Tagesablauf – Arbeit – Freizeit

Am Morgen

A 1
Tagesablauf beschreiben
a) Was macht Sara am Morgen?

Wann – Was

b) Was passiert? Erzählen Sie.

→ Ü 1–2

Um 6 Uhr klingelt der Wecker. Sara Becker steht nicht gerne auf. Sie bleibt noch einen Moment liegen – fünf, sechs Minuten – und hört Radio. Sie steht langsam auf. Es ist Viertel nach sechs. Zuerst duscht sie, dann holt sie die Zeitung und macht das Frühstück. Sie kocht Wasser und macht Kaffee. Etwa um sieben Uhr frühstückt sie. Sie isst Cornflakes und liest die Zeitung.
Um Viertel nach sieben geht sie los. Sie schließt die Tür und rennt zur U-Bahn. Die U-Bahn fährt genau um 7 Uhr 30 ab. Heute ist die U-Bahn voll und Sara findet keinen Platz.
Es ist Viertel vor acht. Die U2 kommt im Stadtzentrum an: U-Bahn-Station Spittelmarkt. Sara steigt aus und geht zu Fuß weiter.

Im Büro

Berlin: Axel-Springer-Straße 65. Redaktion Berliner Abendpost. Hier arbeitet Sara Becker. Im Flur trifft sie Frau Huber, die Chefin:

A 2
Begrüßen und verabschieden
Was sagt Sara?

Begrüßen Verabschieden

→ Ü 3–4

- ● Guten Morgen, Frau Huber!
- ○ Guten Morgen, Frau Becker. Wie geht es Ihnen?
- ● Danke, gut. Und Ihnen?
- ○ Danke, es geht. Was machen Sie heute?
- ● Heute mache ich die Seite „Ein Tag im Leben von …"

…

Sara Becker ist Fotografin und Journalistin. Sie arbeitet bei der „Berliner Abendpost". Sie macht die Seite „Ein Tag im Leben von …". Einmal pro Woche ein Porträt: eine Person, zwei, drei Fotos und ein Interview. Heute macht Sara das Interview mit Karl Kuhn, Student und Nachtportier.

Im Büro liest Sara zuerst die E-Mails:

A 3
Termine vereinbaren
Herr Kuhn hat ein Terminproblem. Schreiben Sie eine Antwort.

→ Ü 5

Kein Problem! Sie hat auch um 15 Uhr Zeit. Sie schreibt Karl Kuhn eine Antwort.

Das Interview

Sara Becker bereitet das Interview vor. Sie braucht die Kamera und Filme. Und das Kassettengerät nicht vergessen! Und dann noch die Fragen – wo sind die Notizen für das Interview?

A 4
Ein Interview machen
Was macht Sara vor dem Interview? Sammeln Sie.

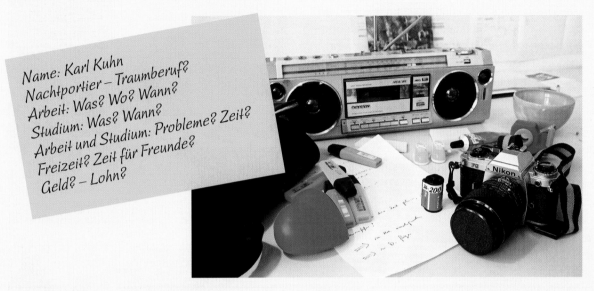

Name: Karl Kuhn
Nachtportier – Traumberuf?
Arbeit: Was? Wo? Wann?
Studium: Was? Wann?
Arbeit und Studium: Probleme? Zeit?
Freizeit? Zeit für Freunde?
Geld? – Lohn?

A 5 (1.58)
Notieren Sie Fragen zum Interview.

→ Ü 6–8

Am Nachmittag um drei Uhr trifft Sara Karl Kuhn im Café „Aroma". Zuerst macht sie das Interview und dann macht sie die Fotos.

16 Uhr 30: Sara ist zurück im Büro. Sie arbeitet am Computer. Zuerst sieht sie die Fotos an. Zwei gefallen ihr gut. Dann schreibt sie den Artikel. Sie arbeitet heute lange.
19 Uhr: „Ein Tag im Leben von ..." ist fertig. Sara ist müde, aber zufrieden. Sie kauft noch ein und geht nach Hause ...

Am Abend ist Sara allein. Sie isst einen Salat und ein Sandwich und liest die Zeitung. Dann sieht sie noch ein bisschen fern: heute keinen Krimi, nur die Nachrichten. Sie ist müde und geht um halb elf schlafen.

A 6
Tätigkeiten beschreiben
Was macht Sara am Nachmittag? Was am Abend?

Wann – Was

Gespräch: Sie-Form

Guten Tag, Frau Huber.	Guten Tag, Frau Becker. Wie geht es Ihnen?
Danke gut. Und Ihnen?	Danke, es geht. Was machen Sie heute?
Ich schreibe einen Artikel.	Ach ja, natürlich. Und? Ist alles okay?
Ja, heute mache ich das Interview.	Gut, dann viel Glück und auf Wiedersehen.
Auf Wiedersehen. Bis bald.	

Einen Termin ausmachen

Heute um 14 Uhr im Café „Aroma".	Tut mir Leid, das ist nicht möglich.
Geht 15 Uhr?	Ja, das geht, da habe ich Zeit.
Gut, dann um 15 Uhr. Bis bald.	Tschüs! Bis bald.

A 7
Spielen Sie.

Freizeit

A 8
Freizeit beschreiben
Was machen
die Leute?
Sammeln Sie.

→ Ü 9 – 10

Samstagmittag – Berlin Tiergarten: Heute arbeitet Sara nicht. Sie hat frei und geht im Park spazieren. Am Wochenende sind da viele Leute. Sie essen und trinken, sie diskutieren und lachen. Viele machen Sport: Sie joggen oder spielen Fußball. Eine Gruppe macht Yoga und da vorne ist ein Konzert. Da links liest eine Frau ein Buch, und da rechts schläft ein Mann. Alle haben Zeit ....
Sara trifft Gabi, eine Freundin.

1.59

A 9
Arbeit und Freizeit
Wer ist Gabi?
Was machen Gabi
und Sara?

→ Ü 11

● Hallo, Gabi!
○ Hallo, Sara! Wie geht es dir?
● Danke, sehr gut. Ich habe jetzt einen Job. Ich arbeite als Journalistin bei der Abendpost. Und du? Was machst du?
○ Ach, mir geht es schlecht. ...

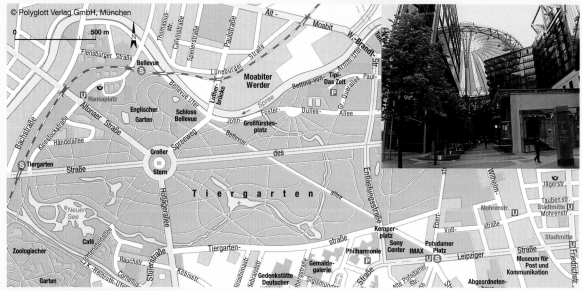

© Polyglott Verlag GmbH, München

A 10
Spielen Sie.

Gespräch: Du-Form

Hallo, Gabi!	Hallo, Sara!
Wie geht es dir?	Danke, gut.
	Mir geht es schlecht.
Was arbeitest du?	Ich habe jetzt einen Job.
	Ich arbeite als Journalistin bei der Abendpost.
Was machst du?	Ich habe keine Arbeit.
	Ich bin immer noch arbeitslos.

Gemeinsam etwas tun

Ich gehe in die Nationalgalerie. Kommst du mit?	Einverstanden!
Hast du Zeit?	Das geht leider nicht.
Heute Abend gehen wir ins Kino! Hast du Lust?	Ja, natürlich.

Gespräche im Alltag

A 11
1.60
a) Ordnen Sie Dialoge
und Situationen zu.

Dialog *1*

Dialog ___

Dialog ___

Dialog ___

Dialog ___

Dialog ___

A	Begrüßen	B	Sich bedanken	C	Einladen
D	Jemanden ansprechen	E	Nach dem Befinden fragen	F	Sich verabschieden

b) Welcher Titel passt
zu welchem Dialog?

→ Ü 12 – 13

Test: Was machen Sie?

Situation 1

Sie sitzen im Café. Sie möchten ein Mineralwasser. Die Bedienung sieht Sie nicht. Was machen Sie?

Was sagen Sie?
☐ Entschuldigung!
☐ Bedienung!
☐ Hallo!
☐ He, Sie!

☐

☐

☐

A 12
a) Kreuzen Sie an.
Vergleichen Sie im
Kurs.

b) Spielen Sie eine
andere Situation.

Situation 2

Sie treffen einen Mann. Sie kennen ihn, aber Sie
wissen den Namen nicht mehr. Was sagen Sie?

☐ Guten Tag, mein Herr.
☐ Tschüs. Wie geht es dir?
☐ Entschuldigung, ich weiß Ihren Namen nicht.
☐ Guten Tag.
☐ Ich heiße ... Und Sie?

Situation 3

Sie suchen die U-Bahn-Station. Sie wissen
den Weg nicht. Sie treffen eine Frau. Sie ist
50 Jahre alt. Was sagen Sie?

☐ Hallo. Wo ist ...?
☐ Angenehm, ich heiße ... . Wo ist ...?
☐ Ich bin ... . Und Sie? Wo ist ...?
☐ Entschuldigung, wo ist ...?

Wie spät ist es?

1.66   **A 13**

a) Wie spät ist es?

Dialog 1 _____
Dialog 2 _____

b) Wann sagt man was?

Guten Morgen!
Guten Tag!

→ Ü 14 – 15

- **Wie spät** ist es?
  - ○ Ein Uhr. / Eins.
  - ○ Halb drei. – Viertel vor drei. – Viertel nach drei.

- **Wann** kommst du?
  - ○ **Um** ein Uhr. / **Um** eins.
  - ○ **Um** halb drei. – **Um** Viertel vor drei. – **Um** Viertel nach drei.

Tagesablauf

1.70   **A 14**

a) Welche Verben hören Sie? Markieren Sie.

b) Notieren Sie Uhrzeiten.

→ Ü 16

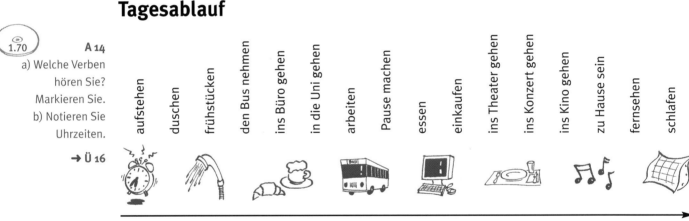

aufstehen · duschen · frühstücken · den Bus nehmen · ins Büro gehen · in die Uni gehen · arbeiten · Pause machen · essen · einkaufen · ins Theater gehen · ins Konzert gehen · ins Kino gehen · zu Hause sein · fernsehen · schlafen

Beruf

1.71   **A 15**

a) Was sind die Leute von Beruf?

Lehrerin	Student	Managerin	Bedienung	Verkäufer

b) Was passt zu welchem Beruf?

c) Notieren Sie:

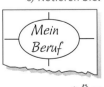

Mein Beruf

→ Ü 17

gut verdienen · schlecht verdienen · verkaufen · Leute treffen · Rechnungen schreiben

frei haben · Arbeit suchen · studieren · telefonieren · einen Job haben

Geschäfte machen · Kaffee servieren · E-Mails schreiben · kaufen · ins Büro fahren

arbeiten bei ... · Termine haben · reisen · Arbeit finden · Grammatik erklären

Bestellungen notieren · Texte korrigieren · arbeiten als ... · arbeitslos sein

Vokale: a, e, i

[a:] ⟨ Name / Zahl	[ɛ:] ⟨ lesen / Tee / sehr
[a] —— acht	[ɛ] ⟨ Wecker / Sänger
	[ɛ:] ⟨ zählen / sie schläft

[i:] ⟨ Termin / sie / (er) sieht	
[i] —— ist	

A 16 1.74
Lesen Sie halblaut mit.

Lange und kurze Vokale

Kurz: F**i**lm　　b**i**s b**a**ld　　n**i**cht l**a**nge　　schl**e**cht　　h**a**lb s**e**chs　　**a**m M**i**ttag　　ein b**i**sschen

Lang: Term**i**n　　Br**ie**fe kop**ie**ren　　w**e**nig schl**a**fen　　s**ie** schl**ä**ft　　das g**e**ht nicht　　ein Gl**a**s

A 17 1.75
Sprechen Sie.

Einen Text sprechen

Sie sprechen langsam → es gibt mehr Akzente und mehr Pausen.

Sie ist m**ü**de, | aber zufr**ie**den. ↘

Sie sprechen schnell → Sie sprechen **einen** Akzent und keine Pause.

Sie ist m**ü**de, aber zufr**ie**den. ↘

A 18 1.76
Sprechen Sie A langsam.
Klopfen Sie den Rhythmus.
Sprechen Sie B normal.

A
Sarah B**e**cker | hat viele Term**i**ne.

Sarah hat fr**ei** | und geht im Park spaz**ie**ren.

B
Sarah B**e**cker hat viele Term**i**ne. ↘

Sarah hat fr**ei** und geht im Park spaz**ie**ren. ↘

Eine Pa**rty** ↘
Ich r**e**de. ↘　Du r**e**dest.　Er r**e**det.
Sie r**e**det.　Sie redet l**au**t.　Sie redet s**e**hr laut.
Wir r**e**den.　Sie r**e**den.　Alle reden.
Über n**i**chts.

A 19 1.77
Sprechen Sie.
Achten Sie auf Akzent und Sprechmelodie.

Schwierige Wörter aussprechen

Z**ei**tung ↘

zwanzig **U**hr ↘

spaz**ie**ren ↘

liest Z**ei**tung ↘

um zwanzig **U**hr ↘

im Park spaz**ie**ren ↘

Sie liest Z**ei**tung. ↘

Der Termin um zwanzig **U**hr. ↘

Sie geht im Park spaz**ie**ren. ↘

A 20 1.78
Sprechen Sie langsam/schnell.

Satz: trennbare Verben und Satzklammer

A 21

a) Markieren Sie die Verben im Text.

losgehen • duschen • aufstehen • machen

Sara Becker **steht** nicht gerne **auf**. Sie steht langsam auf. Zuerst duscht sie, dann macht sie das Frühstück. Um Viertel nach sieben geht sie los.

b) Sortieren Sie die Verben.

→ Ü 18

einfache Verben	trennbare Verben: Präfix/Verb
	auf / *stehen*

A 22

Schreiben Sie die Sätze aus A 21 in die „Satzklammer".

→ Ü 19 – 20

	Satzklammer		
	Verb		**Präfix**
Sara Becker	*steht*	*nicht gerne*	*auf* .
dann			

Trennbare Verben: Betonung

auf / *stehen*   Sara Becker   *steht*   nicht gerne   *auf*.   Präfix / Verb

Regel

Ergänzen Sie.

Aussagesatz: Das Verb steht in Position _____, das betonte _____ steht am Ende.

Artikelwörter und Substantiv: „ein-" und „kein-"

A 23

a) Markieren Sie „ein-" und „kein-".

Die U-Bahn ist voll. Findet Sara einen Platz? – Nein, Sara findet keinen Platz.
Ist 15 Uhr ein Problem? – Nein, 15 Uhr ist kein Problem.
Hat Gabi eine Arbeit? – Nein, Gabi hat keine Arbeit, sie ist arbeitslos.
Hast du ☐ Probleme? – Nein, ich habe keine Probleme.

b) Ergänzen Sie die Tabelle.

→ Ü21

Singular	maskulin	neutrum	feminin	Plural
Nominativ	*ein* / *kein* Platz	____ / _____ Problem	*eine* / _____ Arbeit	☐ / *keine* Probleme
Akkusativ	*einen* / _____ Platz	*ein* / *kein* Problem	____ / _____ Arbeit	____ / _____ Probleme

Grammatik

Negation: „nicht" – „kein-"

Sara steht nicht gerne auf.
Das geht leider nicht.
Und das Kassettengerät nicht vergessen!
Heute arbeitet Sara nicht.

Sara findet keinen Platz.
Kein Problem!
Heute sieht sie keinen Krimi.
Ich habe keine Arbeit.

A 24
Vergleichen Sie:
Wann steht „nicht",
wann steht „kein-"?

→ Ü 22

Negation: „nicht" oder „kein-"?

Beim Verb → _____

Beim Substantiv → _____

Regel

Ergänzen Sie.

Sara arbeitet _____.

Sara hat _____ Zeit.

Satzbaupläne: Verb und Ergänzungen

06.00 Uhr Der Wecker klingelt. Sara Becker steht auf. Sie ist Journalistin.
08.00 Uhr Sara Becker bereitet das Interview vor.
15.00 Uhr Sara trifft Karl Kuhn. Karl Kuhn ist Student und Nachtportier.
           Sie machen das Interview und Fotos.
16.30 Uhr Sara schreibt den Artikel.

A 25
a) Markieren Sie das Verb und das Subjekt.

b) Ergänzen Sie die Sätze.

→ Ü 23 – 24

Subjekt und Verb

Subjekt Wer? oder Was?	Verb
Der Wecker	klingelt.

Subjekt, Verb und Akkusativ-Ergänzung

Subjekt Wer? oder Was?	Verb	Akkusativ-Ergänzung Wen? oder Was?
Sara Becker	bereitet	das Interview vor.

Subjekt, Verb und Nominativ-Ergänzung

Subjekt Wer? oder Was?	Verb	Nominativ-Ergänzung Wer? oder Was?
Sie	ist	Journalistin.

Im Bistro

A 1
Sich informieren
Lesen Sie die Karte.
Was kennen Sie?
Markieren Sie.

→ Ü 1–2

Warme Getränke

Tee (mit Zitrone/Milch)	2,20 €
Kaffee	2,20 €
Espresso	2,00 €
Cappuccino	2,50 €

Kalte Getränke

Mineralwasser (0,3 L)	1,60 €
Orangensaft (0,2 L)	2,00 €
Apfelsaft (0,2 L)	2,00 €
Limonade (Cola, Fanta, 0,3L)	1,80 €

Frühstück

Ei, Brötchen, Butter Marmelade	4,50 €
Bio-Frühstück: Müsli, Obst, Joghurt	5,00 €

Kleine Speisen

Salat-Sandwich	3,80 €
Käse-Sandwich	4,00 €
Salami-Sandwich	4,20 €
Schinken-Sandwich	4,50 €
Mini-Pizza	3,50 €
Tagessuppe	3,00 €

A 2
Bestellen
a) Was möchte die Frau, was der Mann?
b) Spielen Sie.

→ Ü 3

● Guten Tag, was möchten Sie?
○ Tee, bitte!
● Mit Zitrone?
○ Ja, gerne.
■ Und ich nehme ein Mineralwasser und ein Käse-Sandwich, bitte!
● Ist das alles?
○ Kann ich auch ein Sandwich haben, mit Salat, bitte?

● Also, zwei Sandwichs, einmal mit Salat und einmal mit Käse, einen Tee und ein Mineralwasser.

 1.80
A 3
Bezahlen
Stimmt die Rechnung?

→ Ü 4–5

○ Wie spät ist es?
● Kurz vor fünf.
○ Ich muss noch einkaufen. Morgen ist das Kursfest.
● Kann ich mitkommen?
○ Gerne!
● Zahlen, bitte!

Auf dem Markt

Hühnersuppe mit Gemüse

2 kg Hühnerfleisch
12 Frühlingszwiebeln
100 g Spinat
4 Selleriestangen
400 g Sojasprossen
Lorbeerblätter
Jngwer

A 4 🔊 1.81
Einkaufen
a) Was kaufen die beiden ein?
b) Was fehlt noch?
c) Kaufen Sie das Gemüse.

→ Ü 6

A 5
Was kochen Sie gerne?
a) Schreiben Sie einen Einkaufszettel.
b) Spielen Sie Einkaufen.

- ● Wer ist dran?
- ○ Ich möchte ein Huhn. Ist das frisch?
- ● Natürlich! Ganz frisch!
- ○ Wie schwer ist das?
- ● Moment mal, 950 Gramm.
- ○ Dann brauche ich noch eins.

- ● Aber gerne! Das macht dann 12 Euro fünfzig.
- ■ Was kochst du eigentlich?
- ○ Ich will eine Suppe kochen: Hühnersuppe mit Gemüse. Komm, wir müssen noch Gemüse kaufen.

Einkaufszentrum, Supermarkt, Tante-Emma-Laden

Nach der Arbeit haben die Leute wenig Zeit. Sie können nur schnell im Supermarkt einkaufen. Dort gibt es alles: Fisch, Fleisch, Gemüse, Brot, Milchprodukte und Getränke. Am Samstag fahren viele ins Einkaufszentrum. Natürlich gibt es auch noch kleine Geschäfte: Fleisch und Wurst kann man in der Metzgerei kaufen – Brot und Kuchen in der Bäckerei. In „Tante-Emma-Läden" bekommt man auch Lebensmittel, aber die sind oft teuer. Auf dem Markt kann man viele Leute treffen und dort sind die Produkte frisch – aber nicht billig!

A 6
Einkaufsmöglichkeiten
a) Vergleichen Sie:

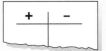

b) Wo kaufen Sie was?

→ Ü 7 – 8

Bestellen und Bezahlen
Was möchten Sie?
Sonst noch etwas?
Kommt sofort.
Das macht zusammen 11 Euro 20.

Ich nehme das Bio-Frühstück und Tee.
Kann ich ein Käse-Sandwich haben?
Zahlen, bitte!
Hier, bitte.

Einkaufen
Wer ist dran?
Ja, ganz frisch!
Das kostet 12 Euro.

Ich möchte 100 Gramm Spinat. Haben Sie Ingwer?
Was kostet das?
Hier, bitte.

5

Das Fest

A 7
Einladen
Lesen Sie das Programm. Notieren Sie:

160 Studentinnen und Studenten machen einen Deutschkurs in Bremen. Sie kommen aus 48 Ländern. Heute feiern sie ein Fest. Sie machen das Programm: Sie spielen Musik, stellen die Länder vor und bieten Spezialitäten an. Es kommen viele Gäste.

Länder
Musik

→ Ü 9

A 8
Laden Sie einen Freund / eine Freundin zum Kursfest ein.

→ Ü 10

Sommerfest

Wann? Am **2. August** ab **16.00 Uhr**

Wo? Im **Hof der Sprachenschule**

Was? Ab 16.00 Uhr Kaffee und Kuchen
17.00 Uhr Das Bremer Streichquartett spielt Vivaldi
17.30 Uhr Dia-Vortrag und Video über Nepal
18.00 Uhr Musik aus Thailand
ab 19.00 Uhr Internationales Büfett
ab 20.00 Uhr Musik aus aller Welt
ab 22.00 Uhr Disco

1.82
A 9
a) Ordnen Sie zu.

Dialog _____

Dialog _____

Dialog _____

b) Sie gehen auf das Fest. Spielen Sie.

A
● Hallo, wie geht's?
○ Sehr gut, danke.
● Was isst du da? Darf ich das mal probieren?
○ Gerne! Und, schmeckt's?
● Nein, das schmeckt mir nicht.

B
● Das musst du probieren, das schmeckt gut!
○ Was ist das?
● Das ist ein Gericht aus Thailand.
○ Ist das scharf?
● Ja, ein bisschen …

C
● Kommst du mit?
○ Wohin?
● In den Hof, ich möchte tanzen!
○ Ich kann nicht tanzen!
● Kein Problem, ich auch nicht.

Sich verabreden

Hast du am 2. August Zeit? Nein, ich habe keine Zeit.
Kommst du zum Fest? Ja, ich komme gerne.

Über das Essen sprechen

Was ist das? Das ist ein Gericht aus Thailand.
Wie schmeckt das? Sehr gut!
Schmeckt's? Das schmeckt mir nicht.
Ist das scharf? Ein bisschen.

Nachfragen

A 10

a) Lesen Sie
und markieren
Sie Fragen.

1

● Entschuldigung, was ist „Bami Goreng"?
○ Das ist ein Gericht aus Indonesien.
● Und was ist das?
○ Das ist Fleisch mit Nudeln.

2

● Probier mal! Das sind „Chicken Wings"!
○ Wie heißt das?
● Chicken Wings!
○ Was bedeutet „Chicken ..."?
● Das sind Hühnerflügel. Chicken heißt Huhn
und Wings heißt Flügel. Schmeckt super!
○ Hm! Woher kommt das?
● Das ist eine Spezialität aus Texas.
○ Texas?
● Ja, Texas.

3

● Die Suppe schmeckt prima!
○ Das ist eine Hühnersuppe mit Gemüse.
● Was ist da drin?
○ Zwiebeln, Spinat, Sellerie, Ingwer, ...
● Moment, nicht so schnell!
○ Also noch mal: Zwiebeln, Spinat, ...

b) Spielen Sie.

→ Ü 11

Notizen machen

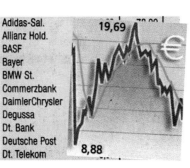

A 11

**Preise, Zahlen,
Gewicht**

a) Sehen Sie die
Bilder an.
Welche Informationen
erwarten Sie?
Kreuzen Sie an.

☐   ☐   ☐   ☐   ☐   ☐   ☐   ☐   ☐

**1 Sonderangebote
im Supermarkt**
Sie machen eine Grillparty.
Was kaufen Sie?

2 Börsenkurse
Sie wollen Aktien von der Firma
Contact AG kaufen. Was kosten
sie?

3 Der Radiokochkurs
Was brauchen Sie für das
Rezept?

1.85

b) Hören Sie. Notieren
Sie: Preise, Zahlen,
Gewicht, ...

→ Ü 12

Lebensmittel

A 12
a) Suchen Sie
die Lebensmittel
im Bild.

b) Markieren Sie
Wörter auf den
Abbildungen.

→ Ü 13

das Mineralwasser • der Apfelsaft • der Orangensaft • die Limonade • der Kaffee • der Tee
die Milch • die Butter • der Käse • der/das Joghurt • das Müsli • das Ei • das Brot
das Brötchen • die Marmelade • der Zucker • das Mehl • die Nudeln (Pl.) • der Reis
die Zitrone • die Orange • der Apfel • die Banane • der Salat • die Tomate • das Gemüse
der Essig • das Öl • das Salz • der Pfeffer • das Fleisch • die Wurst • das Huhn • die Kartoffeln (Pl.)

Frühstück, Mittagessen, Abendessen

A 13
Was essen Sie wann?
Ordnen Sie Wörter zu.

| *Frühstück* | *Mittagessen* | *Abendessen* |
| *der Kaffee,* | *Kartoffeln* | |

Verpackungen

A 14
Was gibt es in
diesen Verpackungen?
Sammeln Sie
Beispiele.

→ Ü 14 – 15

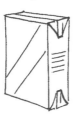   

die Packung   die Dose   das Glas   der Becher   die Flasche

Vokale: o, u

			A 15	1.88

[oː] — Hof / wohnen   [uː] — Juni / Huhn

[ɔ] —— kommen   [ʊ] —— Suppe

A 15 1.88
Lesen Sie halblaut mit.

Lange und kurze Vokale

Kurz: bekommen   die Wurst   oft   eine Suppe   das Sommerfest   am Wochenende

Lang: ein Brot   mit Zitrone   das Obst   der Kuchen   im Supermarkt   ein Huhn

Am Montag | mache ich den Wocheneinkauf | immer im Supermarkt. ↘

Dort bekomme ich alles. Die Produkte sind frisch. ↘

Ich esse viel Joghurt und Obst, | manchmal auch Wurst. ↘

Am Sonntag kaufe ich beim Bäcker Kuchen. ↘

A 16 1.89
Sprechen Sie.

A 17 1.90
Sprechen Sie zuerst sehr langsam, dann schneller.

Vokale: ö, ü

[øː]   hören   [yː]   Flügel / Frühstück

[œ]   zwölf   [ʏ]   fünf / Rhythmus

A 18 1.91
Lesen Sie halblaut mit.

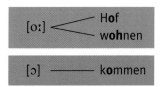
e

ö

ü

elf – zwölf   kennen – können   ich spreche – ich möchte   zehn – schön

vier – fünf   viel   – Müsli   viel   – Gemüse   mit   – müssen

Dialoge sprechen

● Es ist kurz vor fünf. ↘ Ich muss noch einkaufen. ↘

○ Ich komme mit. ↘ Ich brauche noch Brötchen. ↘ Was willst du kaufen? ↗

● Ein Huhn oder Hühnerflügel. Ich will eine Hühnersuppe kochen. ↘

○ Mit Gemüse? ↗

● Natürlich. ↘ Mit Frühlingszwiebeln, Sellerie, Spinat und Ingwer. ↘ Was machst du? ↗

○ Brötchen mit Käse und Salat. ↘ Ich habe keine Zeit. ↘

A 19 1.92
a) Lesen Sie halblaut mit.
b) Sprechen Sie mit dem Partner / der Partnerin.

Modalverben: Bedeutung

A 20
a) Was passt
zusammen?

A    **B** 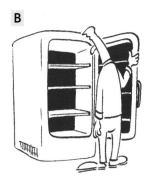   **C**

Bild

1. Morgen ist das Kursfest. Ich muss noch einkaufen. ☐

2. Entschuldigung, wo kann ich bitte ein Huhn kaufen? – Fleisch und Wurst kann man in der Metzgerei kaufen. ☐

3. Heute Abend möchte ich kochen. Ich will/möchte eine Suppe kochen. ☐

b) *Ihre* Sprache:
Schreiben und
vergleichen Sie.

1. _____

2. _____

→ Ü 16 – 17

3. _____

Modalverben: Satzklammer

A 21
a) Markieren Sie
die Modalverben.

● Ich muss noch einkaufen. Ich will eine Suppe kochen.
○ Ich möchte heute einen Salat machen. Ich komme mit, o. k.?
● Ja, gerne. Wie spät ist es?
○ Kurz vor fünf. Wir müssen gehen!

b) Schreiben Sie die
Sätze mit Modal-
verben in die Satz-
klammer.

→ Ü 18, 21

	Modalverb	Satzklammer		Verb
Ich	muss	noch		einkaufen.
1	2			

Regel

Ergänzen Sie.

Satzklammer mit Modalverben

Das Modalverb ist in Position _____ .

Das _____ (im Infinitiv) ist am Satzende.

Modalverben: Konjugation Präsens

● Guten Tag, was möchten Sie?
○ Ein Mineralwasser, bitte.
■ Und ich möchte einen Tee.
○ Kann ich noch ein Sandwich haben?
● Gerne. Und Sie? Möchten Sie auch
   ein Sandwich?

■ Nein danke. – Schmeckt's?
○ Ja, sehr gut. Das musst du probieren!
■ Danke. Hm, sehr gut.
○ Ich will noch einkaufen. Wie spät ist es?
■ Kurz vor fünf. Wir müssen gehen.
○ Entschuldigung, können wir bitte zahlen?

A 22

Lesen Sie und
ergänzen Sie die
Tabelle.

→ Ü 19 – 21

	können	müssen	wollen	Endung	möcht-
Singular					
ich	_____	muss	_____	- _____	_____
du	kannst	_____	willst	- _____	möchtest
Sie	können	müssen	wollen	- _____	_____
er/es/sie	kann	muss	will	- _____	möchte
Plural					
wir	_____	_____	wollen	- _____	möchten
Sie	können	müssen	_____	- _____	_____
sie	können	müssen	wollen	- _____	möchten

Modalverben

Die Modalverben haben in der 1. und _____ Person Singular keine Endung.

Ausnahme: ich _____-**e** und er/es/sie _____-**e**.

Regel

Ergänzen Sie.

Satz: Position des Subjekts

Morgen ist das Kursfest.
Das Kursfest ist morgen.
Nach der Arbeit haben die Leute wenig Zeit.
Die Leute haben nach der Arbeit wenig Zeit.

A 23

Markieren Sie das
Subjekt.

→ Ü 22

Aussagesatz

Das Subjekt ist in Position _____ oder in Position _____.

Regel

Ergänzen Sie.

Präpositionen

Wann? ⊙

Nach der Arbeit haben die Leute wenig Zeit.
Am Samstag fahren viele ins Einkaufszentrum.

Wo? ⊙

Auf dem Markt kann man viele Leute treffen.
In der Metzgerei kann man Fleisch und Wurst
kaufen.

Lernen: wie und warum?

A 1
Über Lernen
sprechen
a) Warum lernt
Giovanna Deutsch?
b) Was macht
Giovanna, was
macht Herbert?

→ Ü 1

1.93

A 2
Wie lernt Herbert
Rathmaier Italienisch?
Sammeln Sie.

→ Ü 2

Giovanna Rathmaier ist Apothekerin und kommt
aus Mailand. Sie wohnt erst vier Monate in
Innsbruck. Der Grund: Ihr Mann Herbert ist Österreicher.
Giovanna hat zur Zeit keine Arbeit. Sie hat viel Zeit
und lernt jeden Tag Deutsch. Viermal pro Woche
besucht sie einen Sprachkurs, am Abend von sechs
bis halb zehn. Sie will schnell Deutsch lernen.

Herbert Rathmaier ist Manager. Er kommt erst am
Abend nach Hause. Dann sprechen Giovanna und
er meist Englisch. „Wir sprechen oft Englisch, aber
Giovanna lernt schnell Deutsch, und ich lerne langsam Italienisch. Bald können wir auch Deutsch
oder Italienisch sprechen", sagt Herbert.

A 3
a) Wo liegt Innsbruck?
Suchen Sie auf S. 6.

1.94 b) Was sagt
Herbert Rathmaier
über Innsbruck?

→ Ü 3

● Herr Rathmaier, besuchen Sie eigentlich auch
einen Italienischkurs?
○ Ja, aber nicht regelmäßig. Oft komme ich erst
spät nach Hause. Und zu Hause lerne ich kaum
mit dem Lehrbuch.
Ich habe keine Zeit und keine Lust.

● Wie lernen Sie dann Italienisch?
○ Wir sehen gemeinsam italienisches Fernsehen,
und zu Hause läuft auch oft italienisches Radio.
● Verstehen Sie schon viel?
○ Es geht. ...

So oder so?

A 4
a) Lesen Sie.
Unterstreichen Sie
„Ihre" Sätze.
b) Wie lernen Sie
Deutsch? Machen
Sie ein Interview.

→ Ü 4

Sie wollen immer alles genau und richtig machen.
Vielleicht machen Sie die folgenden Dinge gerne:
Grammatik üben, Aussprache üben, Wörter notie-
ren und lernen. Das machen Sie gerne allein, in der
Klasse oder zu Hause.
Im Kurs reden Sie nicht gerne, Sie wollen keine
Fehler machen.

Sie reden gerne, mit Kollegen, mit Freunden, mit
allen Leuten. Sie lernen die Sprache sehr leicht.
Manchmal glauben Sie, Sie lernen nichts genau
und richtig. Dann üben Sie kurz Grammatik und
machen ein paar Tage regelmäßig Übungen aus
dem Buch.
Aber Sie arbeiten nicht gerne nach dem Kurs und
nicht lange.

Im Deutschkurs

Im Deutschkurs von Giovanna sind 14 Teilnehmer. Sie sprechen über das Lernen. Alle brauchen Deutsch: Giovanna will wieder als Apothekerin arbeiten, Ismail muss eine Prüfung machen. Inci möchte in der Firma mehr Deutsch reden. Akemi hat einen Sohn. Er geht jetzt in die Schule und sie wollen zusammen lernen.

A 5 (1.95)
Lernziele notieren
a) Hören Sie:
Wer schreibt was?
b) Vergleichen Sie.

→ Ü 5

1
*Ich **kann** schon ziemlich viel verstehen.*
*Ich **muss nicht** alles verstehen.*

3
*Ich **darf** im Sprachkurs Fehler machen.*
*Ich **muss nicht** alles perfekt machen.*

A 6
Schreiben Sie
5 Aussagen.
Vergleichen Sie.

→ Ü 6

2
*Ich **will** jeden Tag eine Stunde lernen und schreiben.*
*Ich **darf nicht** erst vor der Prüfung lernen.*

4
*Ich **möchte** mit allen Kolleginnen reden.*
*Ich **darf nicht** immer still sein.*

A 7
Sätze machen
a) Was macht die Gruppe?
Notieren Sie.

Giovanna, Inci, Akemi und Ismail arbeiten in einer Gruppe zusammen. Sie lesen Zeitungen und Prospekte. Sie suchen Bilder und Wörter. Bilder und Wörter schneiden sie aus. Aus den Wörtern machen sie Sätze, Sätze mit Modalverben.

Die Sätze gehören auch zu einem Bild. Sie wollen die Sätze korrekt machen und fragen die Lehrerin. Sie hilft weiter. Dann kleben sie die Bilder und die Sätze auf ein Blatt und zeigen es den Kolleginnen und Kollegen.

1. Zeitungen lesen

→ Ü 7

b) Kleben Sie Sätze nach dem Muster.

→ Ü 8

Sie kann weit sehen.

Deutsch lernen

Wie oft lernst du Deutsch?	Jeden Tag.
	Zweimal in der Woche.
Wie lernst du?	Ich besuche den Deutschkurs.
	Ich sehe Fernsehen.
	Ich höre Radio.
Was machst du noch?	Ich nehme etwas auf Kassette auf.
	Ich schreibe viel.

6

Lerntipps

1.96

A 8
Lerntipps
verstehen und
geben
Was sagen die
Leute noch? Ergänzen
Sie die Aussagen.

→ Ü 9

A 9
Wie lernen Sie?
Vergleichen Sie
die Antworten in
der Gruppe.

Ich passe im Unterricht gut auf und frage oft die Lehrerin. Sie erklärt die Wörter oder die Grammatik. Zu Hause übe ich wenig. Aber ich spreche viel mit der Tandem-Partnerin.

Die Grammatik ist für mich nicht schwer. Für mich ist das Verstehen wichtig. Ich höre nach dem Kurs oft die Kassette. Und ich besuche die Mediothek und arbeite mit dem Computer.

Ich schreibe zu Hause alles neu. Dann lerne ich aus dem Heft. Später höre ich Musik und wiederhole. Das mache ich immer nach dem Kurs. Oft lerne ich mit der Freundin zusammen.

A 10
a) Welcher Tipp
passt zu den Fragen?
b) Welcher Tipp ist
für Sie wichtig?

→ Ü 10

Tipp 1	**Tipp 2**	**Tipp 3**	**Tipp 4**
Mach einen Plan: Was willst du üben? Lerne regelmäßig, zum Beispiel jeden Tag 10 Minuten Wortschatz.	Lerne nicht zu viel auf einmal. Mach nach einer halben Stunde eine Pause. Lerne nach der Pause etwas anderes.	Wiederhole oft, aber wiederhole immer anders. Arbeite auch gemeinsam mit anderen. Du kannst auch mit dem Computer arbeiten.	Teste dich selbst: Kannst du nach dem Lernen mehr verstehen? Kannst du mehr sagen? Verstehst du die Grammatik?

Wie oft wiederholen Sie?
Was wollen Sie heute lernen?

Kontrollieren Sie Ihr Lernen?
Wie lange lernen Sie ohne Pause?

A 11
a) Notieren Sie
Fragen zum Lernen.
b) Geben Sie
einen Lerntipp.

→ Ü 11

Fragen zum Lernen

Was machst du gern?	Ich höre gerne die Kassette.
	Ich arbeite gerne mit dem Computer.
Was findest du wichtig?	Verstehen finde ich sehr wichtig.
	Grammatik finde ich nicht so wichtig.
Wie oft wiederholst du?	Immer nach dem Kurs.
Wie lange lernst du?	Eine halbe Stunde. Dann mache ich eine Pause.
Wie lernst du Wörter?	Ich schreibe die Wörter neu.

Texte verstehen: auf wichtige Wörter achten

Lernpartnerin für Deutsch möchte gemeinsam lernen, zweimal in der Woche, am Abend, spreche Schwedisch

A 12

a) Hören Sie. Welche Informationen braucht Karin? Ergänzen Sie.

b) Hören Sie. Warum ist Nobuhiko gestrichen?

c) Hören Sie noch einmal. Ergänzen Sie. Wer passt zu Karin? Vergleichen Sie.

→ Ü 12 – 13

KARIN	_____ ?	_____ ?	_____ ?	_____ ?	Was möchte sie/er?
ANGELA	_____	Nachmittag	_____	_____	Lernen → Prüfung!!
MAARIT	_____	_____	Finnisch	_____	
NOBUHIKO	_____	jeden Tag	_____	_____	
TANJA	Hamburg	_____	Spanisch	_____	

E-Mails schicken

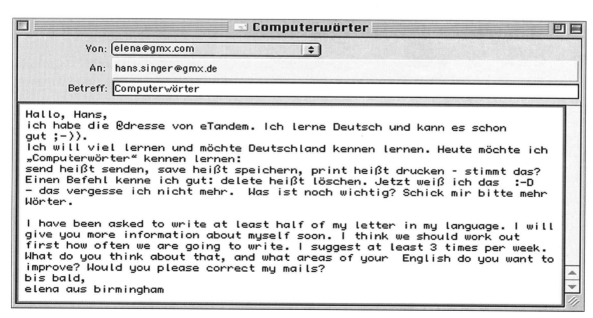

Computerwörter

Von: elena@gmx.com

An: hans.singer@gmx.de

Betreff: Computerwörter

Hallo, Hans,
ich habe die @dresse von eTandem. Ich lerne Deutsch und kann es schon gut ;-)).
Ich will viel lernen und möchte Deutschland kennen lernen. Heute möchte ich „Computerwörter" kennen lernen:
send heißt senden, save heißt speichern, print heißt drucken - stimmt das?
Einen Befehl kenne ich gut: delete heißt löschen. Jetzt weiß ich das :-D - das vergesse ich nicht mehr. Was ist noch wichtig? Schick mir bitte mehr Wörter.

I have been asked to write at least half of my letter in my language. I will give you more information about myself soon. I think we should work out first how often we are going to write. I suggest at least 3 times per week. What do you think about that, and what areas of your English do you want to improve? Would you please correct my mails?
bis bald,
elena aus birmingham

A 13

a) Sie wollen eine E-Mail senden. Was machen Sie?

1. das Programm starten

b) Wie heißen die Befehle in Ihrer Sprache?

c) Machen Sie eine @dressliste im Kurs.

→ Ü 14

Im Kursraum

A 14

a) Substantive: Markieren Sie mit drei Farben:
maskulin: *der*
neutrum: *das*
feminin: *die*

b) Wie lernen Sie Substantive und Artikel? Vergleichen Sie.

A 15

a) Notieren Sie die Substantive mit Artikel und Plural.
b) Kontrollieren Sie mit dem Wörterbuch.

→ Ü 15 – 17

der Tisch • der Stuhl • das Buch • das Wörterbuch • das Heft • das Blatt Papier

der Stift • der Bleistift • der Kugelschreiber • das Etui • die Tafel • die Landkarte

der Recorder • die Kassette • der CD-Player • die CD • der Computer • die CD-ROM

Lernen mit der CD-ROM

A 16

a) Welche Abbildungen passen zu 1 – 11? Ordnen Sie zu.

→ Ü 18

b) Notieren Sie die Wörter und Ausdrücke in Ihrer Sprache.

A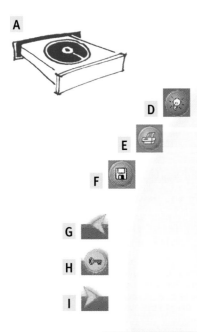

B

C

D

E

F

G

H

I

1. ___ Legen Sie die CD-ROM in den Computer ein.
2. ___ Starten Sie das Lernprogramm.
3. ___ Klicken Sie das Kapitel an.
4. ___ Wählen Sie eine Übung aus und drücken Sie „Play".
5. ___ Zurück: Machen Sie die Übung noch einmal.
6. ___ Vor: Gehen Sie zur nächsten Übung.
7. ___ Kontrollieren Sie die Lösung.
8. ___ Sie können Hilfe bekommen.
9. ___ Möchten Sie das Blatt drucken?
10. ___ Sie können die Datei speichern.
11. ___ Beenden Sie das Programm.

J

K

Diphthonge: ei, eu, au

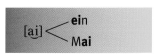

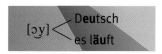

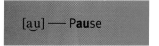

A 17 · 2.3
a) Lesen Sie halblaut mit.
b) Sprechen Sie.

Rathm**ai**er / M**ai** / **ei**nen

Herr Rathmaier beginnt im Mai einen <u>Spra</u>chkurs. ↘

D**eu**tsch / l**äu**ft

Giovanna lernt <u>Deu</u>tsch. ↘ Zu Hause läuft oft das <u>Ra</u>dio. ↘

Fr**au** / **au**ch / **Au**to

Frau Rathmeier hört auch im <u>Au</u>to immer Radio. ↘

A 18 · 2.4
a) Lesen Sie halblaut mit.
b) Sprechen Sie nach.

Wortakzent und Satzakzent

Deutsch	Englisch	Französisch	Ihre Sprache
Informa<u>ti</u>on	information	information	
Hotel	hotel	hôtel	
international	international	international	

A 19 · 2.5
Markieren Sie den Wortakzent.

Fran-<u>zö</u>-sisch	an-fan-gen	ver-ste-hen	Lern-part-ner	wich-tig	mit-spre-chen
re-gel-mä-ßig	pla-nen	be-su-chen	wie-der-ho-len	ver-ges-sen	lang-sam
aus-tau-schen	Com-pu-ter	Ter-min	Teil-neh-mer	Er-fah-run-gen	Pro-blem

A 20 · 2.6
a) Markieren Sie den Wortakzent.
b) Markieren Sie den Vokal _ lang oder . kurz.
c) Sprechen Sie die Wörter laut.

> · <u>aus</u>schneiden – <u>auf</u>nehmen – <u>mit</u>sprechen – <u>zu</u>hören   Der Wortakzent ist bei **trennbaren** Verben auf dem **Präfix**.

> **Neue Wörter lernen – lernen Sie den Wortakzent immer mit:**
> Franz<u>ö</u>sisch – <u>Lern</u>partner – verst<u>e</u>hen – Pr<u>o</u>blem – <u>an</u>fangen

Die Gram<u>ma</u>tik ist für mich nicht schwer. ↘ Für mich ist das Verstehen wichtig. ↘ Ich höre nach dem Kurs oft die Kassette und ich höre zu Hause viel Radio. ↘ Und ich besuche die Mediothek oder arbeite mit dem Computer. ↘

A 21 · 2.7
a) Markieren Sie den Satzakzent.
b) Sprechen Sie den Text.

Schwierige Wörter aussprechen

<u>Deutsch</u> ↗

zu Hause <u>Deutsch</u> ↗

Sprichst du zu Hause <u>Deutsch</u>? ↗

das <u>Ra</u>dio ↘

läuft immer das <u>Ra</u>dio ↘

Im Auto läuft immer das <u>Ra</u>dio. ↘

<u>spei</u>chern ↘

die Datei <u>spei</u>chern ↘

So kannst du die Datei <u>spei</u>chern. ↘

A 22 · 2.8
Sprechen Sie langsam/schnell.

Dativ nach Präpositionen: „an", „aus", „in", „mit", „vor", „nach", …

A 23
a) Markieren Sie
Präpositionen,
Artikel und
Substantive.

Giovanna Rathmeier wohnt in Innsbruck. Sie besucht einen Sprachkurs.
Der Kurs ist viermal pro Woche, am Abend von sechs bis halb zehn.
Vierzehn Teilnehmer sind im Kurs. Die Teilnehmer arbeiten heute in Gruppen.
In den Gruppen lesen sie Zeitungen und Prospekte. Giovanna, Inci, Akemi und Ismail sind zusammen in einer Gruppe. Sie schneiden Bilder und Wörter aus den Zeitungen und den Prospekten aus und machen Sätze. Nach dem Kurs geht Giovanna nach Hause. Dann arbeitet sie noch mit dem Computer. Sie will nicht erst vor der Prüfung lernen.

an dem → am Abend
in dem → im Kurs

b) Sehen Sie die
Bilder an. Welche
Präpositionen
passen?

→ Ü 19

1 _____

_____

2

_____

_____

3 _____

_____

4 _____

_____

Artikelwörter und Substantiv: Dativ

A 24
Ergänzen Sie
die Tabelle.

→ Ü 20 – 22

Singular	maskulin	neutrum	feminin	Plural	
Nominativ	der/ein Kurs	das/ein Buch	die/eine Gruppe	_die_ / ☐	Kurse Bücher Gruppen
Akkusativ	den/einen Kurs	das/ein Buch	die/eine Gruppe	_____ / ☐	Kurse Bücher Gruppen
Dativ	in _____ / _____ Kurs	in _dem_ / _einem_ Buch	in _der_ / _____ Gruppe	in _____ / ☐	Kurs**en** Büche**rn** Gruppe__

Regel

Ergänzen Sie.

Dativ Singular

Bestimmter Artikel maskulin und neutrum: _____, feminin: _____ ;

unbestimmter Artikel maskulin und _neutrum_ : _____, feminin: _____ .

Dativ Plural

Bestimmter Artikel immer: _____ ; Substantiv-Endung: _____ .

Modalverben: „(nicht) dürfen" – „(nicht) müssen"

A 25
a) Lesen Sie den Merkzettel. Markieren Sie „nicht".

b) Kreuzen Sie an. Was passt?

Notwendigkeit	keine Notwendigkeit	Verbot	Erlaubnis
	X		

Ich muss nicht alles verstehen.
Ich muss noch viel schreiben.
Ich darf nicht erst vor der Prüfung lernen.
Ich darf im Sprachkurs Fehler machen.
Ich muss nicht alles perfekt machen.

A 26
a) Ergänzen Sie.

→ Ü 23 – 24

b) *Ihre* Sprache: Schreiben Sie und vergleichen Sie.

dürfen – nicht dürfen; müssen – nicht müssen

Erlaubnis: *dürfen*

Natürlich _____ Sie hier rauchen.

Notwendigkeit: _____

Morgen ist Montag. Ich _____ morgen arbeiten.

Verbot: _____

Entschuldigung, Sie _____ hier _____ rauchen.

keine Notwendigkeit: _____

Heute ist Sonntag. Ich _____ heute _____ arbeiten.

Personen auffordern: Imperativ (formell und informell)

A 27
a) Markieren Sie die Verben.
b) Was passt? Kreuzen Sie an.

→ Ü 25

1 Lernen Sie nicht zu viel auf einmal. Machen Sie nach einer halben Stunde eine Pause. Wiederholen Sie oft. Arbeiten Sie auch gemeinsam mit anderen.

	formell (Sie)	informell (du)
Text 1	☐	☐

2 Lerne nicht zu viel auf einmal. Mach nach einer halben Stunde eine Pause. Wiederhole oft. Arbeite auch gemeinsam mit anderen.

	formell (Sie)	informell (du)
Text 2	☐	☐

Regel
Ergänzen Sie.

Imperativ Singular
formell

Form: Infinitiv + _____
Beispiel: Wiederholen Sie oft.
Machen Sie eine Pause.

informell

Form: Verbstamm + Endung -_____ oder –
Beispiel: Wiederhole oft.
Mach eine Pause.

Ferien an der Nordsee

A 1
Eine Reise beschreiben

a) Lesen Sie und suchen Sie St. Peter-Ording.

b) Was macht Ines am 7. Juni? Notieren Sie Infinitive.

→ Ü 1 – 2

2.9 **A 2**

a) Wie kommt Robert ins Hotel? Notieren Sie die Stationen.

> *München ...*

b) Welche Verkehrsmittel nimmt Robert?

→ Ü 3

A 3
Was machen Ines und Robert am 8. Juni? Erzählen Sie im Präsens.

→ Ü 4

SAMSTAG, 7. JUNI

Allein in St. Peter-Ording – allein! Ich bin mit dem Zug gereist, fast 7 Stunden. In Hamburg am Bahnhof habe ich zwei Stunden auf Robert gewartet. Ich habe ihn überall gesucht, aber ich habe ihn nicht gesehen – oder er hat mich nicht gesehen. Ich habe zwei SMS geschickt – aber er hat nicht geantwortet. Ich bin dann allein weiter nach St. Peter-Ording gefahren. Wir haben hier ein Hotel am Meer gebucht. Es ist sehr gemütlich und die Aussicht ist phantastisch! Der Himmel und das Meer sind endlos weit.
Am Abend habe ich mit Robert telefoniert. Er ist immer noch in München. Stau! Er ist zu spät zum Flughafen gekommen. Schade.

A 4
Über Vergangenes berichten

a) Was ist am 7. und 8. Juni passiert? Erzählen Sie.

b) Was haben Sie am Wochenende gemacht?

SONNTAG, 8. JUNI

Heute Mittag ist Robert gekommen. Endlich sind wir zusammen.
Am Nachmittag haben wir einen Spaziergang am Meer gemacht. Man kann stundenlang laufen, der Strand ist endlos – Sand und Wellen.
Am Horizont haben wir den Leuchtturm Westerheversand gesehen. Er ist sehr berühmt. Dorthin sind wir dann gewandert. Ein Tourist hat uns gefragt: „Kann ich euch fotografieren?" Er hat viele Fotos gemacht. In einem Restaurant direkt am Deich haben wir Fisch gegessen – lecker! Am Abend sind wir zurückgefahren. Im Hotel haben wir noch lange diskutiert, und wir haben Pläne für die nächste Woche gemacht. Robert hat bald geschlafen. Ich habe noch lange gelesen.

Ausflug nach Seebüll

A 5
a) Was haben Ines und Robert am 10. Juni gemacht? Suchen Sie auf der Karte.

→ Ü 5

b) Erzählen Sie.

DIENSTAG 10. JUNI

Heute haben wir einen Ausflug nach Seebüll gemacht. Das liegt ganz im Norden von Friesland, nahe an der Grenze. In Seebüll ist das Nolde-Museum. Hier hat der Maler Emil Nolde von 1926 bis 1956 gelebt und gearbeitet.
Wir haben ein Auto gemietet und sind von St. Peter-Ording über Husum nach Niebüll gefahren. Dort ist Robert falsch gefahren. Kein Museum weit und breit! Wir haben es lange gesucht und auch Leute gefragt. Ein Friese hat uns dann den Weg gezeigt. Die Leute sprechen hier „Plattdeutsch" und man versteht sie nicht so gut. Das Museum ist sehr schön. Das Haus und der Garten sind noch so wie früher. Ich mag die Bilder von Nolde. Im Museumsshop hat Robert den Katalog gekauft - für mich, ein Geschenk! Zurück bin ich gefahren. Wir haben für die 80 Kilometer nur eine Stunde gebraucht.

DONNERSTAG 12. JUNI

Wieder allein ...
Heute Morgen hat Robert lange telefoniert – Probleme im Büro! Er ist sofort nach Hause gefahren. Ich mag ihn, und er mag mich auch. Ich weiß es. Ich bin traurig – ich bleibe noch bis Samstag.

A 6
Einen Weg beschreiben
a) Wo sind Ines und Robert? Suchen Sie auf der Landkarte.

b) Wie kommen Ines und Robert zum Nolde-Museum?

2.10

→ Ü 6 – 8

Einen Weg beschreiben

Wie komme ich nach St. Peter-Ording?	Das ist ganz einfach. Am Flughafen nimmst du den Bus zum Hauptbahnhof. Dann nimmst du den Zug bis St. Peter-Ording. Dort gehst du zu Fuß zum Hotel. Du kannst auch ein Taxi nehmen.
Entschuldigung, können Sie uns helfen? Wir suchen das Nolde-Museum.	Ja bitte? Nehmen Sie die zweite Straße links und dann immer geradeaus.
Wie weit ist das?	Etwa zehn Kilometer. Und kurz vor Klanxbüll dann ...
Kurz vor Klanxbüll? Wie meinen Sie das?	Kurz vor Klanxbüll ist eine Kreuzung. Und da fahrt ihr nach rechts.

A 7
Erklären Sie den Weg vom Kurs nach Hause. Spielen Sie.

7

Die Rückfahrt

A 8

Gespräche im Zug
a) Ordnen Sie
Dialoge und Bilder.

→ Ü 9

2.11   b) Hören Sie
die Durchsage. Was
ist das Problem?

→ Ü 10

2.12   **A 9**

Wie reist Ines nach
Mannheim? Machen
Sie Notizen.

Abfahrt
Gleis

→ Ü 11

A

B

1
● Entschuldigung, ist hier noch frei?
○ Ja bitte. Ich nehme die Tasche weg.
● Nein, bitte lassen Sie sie da.
○ Kann ich Ihnen helfen?
● Vielen Dank, das ist sehr freundlich. Darf man hier rauchen?
○ Nein, hier ist Nichtraucher. Gehen Sie doch ins Bistro ....

2
● Die Fahrkarten bitte!
○ Hier bitte.
● Darf ich bitte die Bahncard sehen?
○ Moment mal, wo – in Hamburg habe ich die Fahrkarte gekauft, da habe ich sie noch gehabt. Ah, hier!
● Danke, und gute Reise!
○ Entschuldigen Sie, ich habe eben die Durchsage gehört ...

A 10

a) Spielen Sie.

b) Ist Ihnen auch
schon „etwas"
passiert unterwegs?
Erzählen Sie.

Gespräche unterwegs

Entschuldigung, ist hier noch frei?	Ja bitte. Ich nehme die Tasche weg.
Darf man hier rauchen?	Nein, hier ist Nichtraucher.
Ist das der Zug nach Hamburg?	Ja sicher.
Wo ist das Bistro?	Im zweiten Wagen.
Hat der Zug Verspätung?	Nein, er ist pünktlich.
Die Fahrkarte bitte!	Moment bitte, in Hamburg habe ich sie gekauft, aber jetzt ...
Kann ich den Pass sehen?	Moment mal, ich habe ihn doch gerade noch gehabt.

Ein Miniglossar benutzen

● Guten Tag! Was kann ich für Sie tun?
○ Mein Name ist Hansen, ich habe reserviert.
● Moment, Herr Hansen. – Es tut mir Leid,
Herr Hansen, ich habe keine Reservierung.
○ Ich habe letzte Woche ein Einzelzimmer reserviert.
● Tut mir Leid, aber ich habe keine Reservierung –
und ich habe leider kein Zimmer mehr.
○ …

> **Miniglossar: um Hilfe bitten**
>
> Oh, und was mache ich jetzt?
> Können Sie mir helfen?
> Kann ich mal telefonieren?
> Können Sie für mich ein Zimmer suchen?
> …

A 11 2.13
a) Welches Problem hat Herr Hansen? Was macht er jetzt?

b) Lesen Sie das Miniglossar und spielen Sie die Situation.

→ Ü 12

HOTEL INTERNATIONAL

■ Alle Zimmer mit Bad, WC, Balkon, TV, Telefon, Minibar
■ Ruhig und zentral (U-Bahn, Airport-Bus, Mietwagen)
■ Konferenzraum, Schwimmbad
■ EZ 65 – 90,– €
■ DZ 85 – 160,– €
■ Tel. 0421/454544

Tourotel

Doppelzimmer nur 110,– €
Einzelzimmer nur 65,– €
Dusche, WC, Telefon
Zentrale Lage / Bahnhof
Mit Frühstück
Tel. Reservierung
0421/883 883

✧ Pension Seeblick ✧

*Die freundliche Pension
am Stadtrand!
Nur 25 Min. vom Zentrum.
Ruhige Lage am See.
Einzelzimmer 40,– €
Doppelzimmer 75,– €
Mit Frühstück!
Fam. Bohlen 0421/6542*

✧ ✧ ✧

A 12
a) Herr Hansen hat einen Termin im Zentrum. Die Firma bezahlt 70 € für Hotelspesen. Welches Hotel nimmt er? Diskutieren Sie.

> **Miniglossar: Hotel reservieren**
>
> Wo liegt das Hotel?
> Ist das im Zentrum?
> Was kostet das Einzelzimmer?
> Ist das (der Preis) mit Frühstück?
> Wie teuer ist das Frühstück?
>
> …

b) Lesen Sie das Miniglossar und spielen Sie.

A 13
a) Schreiben Sie „Ihr" Miniglossar.
b) Spielen Sie.

→ Ü 13

Schöne Ferien!

2.14

A 14

a) Welche Ausdrücke
hören Sie?
Markieren Sie.

→ Ü 14

Ferien planen

mit der Freundin diskutieren • Datum festlegen
im Reisebüro Prospekte holen • Prospekte lesen
im Internet Ideen suchen • den Fahrplan lesen
die Fahrkarten kaufen • das Hotel buchen
ein Zimmer reservieren

Ferien machen

lange schlafen • gut essen • Musik hören
am Strand spazieren gehen • Tennis spielen
einen Krimi lesen • einen Ausflug machen
ein Auto mieten • einen Spaziergang machen
mit Freunden telefonieren • wandern
Geld wechseln • im Meer baden
Leute fotografieren • Karten schicken

b) Wo sind Sie im
Sommer gewesen?
Was haben Sie
gemacht?
Erzählen Sie.

Gute Reise!

A 15

a) Zu welchem Bild
passt was?

1  **2** **3** **4**

der Flug • der Schalter • umsteigen • der Bus • starten • das Taxi • der Flughafen
die Haltestelle • aussteigen • die Kreuzung • landen • die Straßenbahn • die Durchsage
der Fahrplan • der Zug • einsteigen • die Fahrkarte • die Autobahn • der Pass • das Schiff
reisen • der Parkplatz • parken • fliegen • der Stau • der Bahnsteig • abholen • mieten • der Hafen
die Fahrt • die U-Bahn • das Gleis • zu Fuß • das Fahrrad • die Ampel • die Grenze • der Bahnhof

b) Notieren Sie in
Gruppen. Was passt
gut, was nicht?
Vergleichen Sie.

das Schiff nehmen	*mit dem Zug fahren*	*mit dem Bus/Auto fahren*	*das Flugzeug nehmen*
___	___	___	___

c) Welches Verkehrs-
mittel benutzen Sie?

→ Ü 15 – 16

ins Büro	*in die Ferien*	*ins Restaurant*	*ins Kino*
gehe ich zu Fuß			

Murmelvokale (unbetont) und Konsonant „r"

[ə] —— dank**e**, gekauft

[ɐ] ← Zimm**er** / s**ehr** / **ver**gleichen

wi**r** / hie**r** / Mee**r**
leid**er** / Zimm**er**
dank**e** / gut**e** / Reis**e**

Wir haben hier ein Hotel am Meer gebucht. ↘
Wir haben leider kein Zimmer frei. ↘
Danke, und gute Reise! ↘

Sie lesen/schreiben „r":	Sie hören/sprechen [ɐ]:	
Zimm**er**	Zimm[ɐ], leid[ɐ], ab[ɐ]	-er im Auslaut
Meer, sehr, wir	Mee[ɐ], seh[ɐ], wi[ɐ]	r nach langem Vokal im Auslaut

[r] —— **R**hythmus; hö**r**en; He**rr**

freundlich sein   eine Reservierung   das Zimmer   lecke**r**
Verspätung haben   nach der Kreuzung   den Weg erklären   an der Grenze

A 16   2.15
a) Lesen Sie
halblaut mit.
b) Sprechen Sie.

A 17   2.16
Lesen Sie
halblaut mit.

A 18   2.17
Wann hören Sie „r"?
Markieren Sie.

Sprechmelodie

Entschuldigung, wo ist das Bistro? ↗

Wie komme ich nach Seebüll? ↗

Wann kommt der Zug in Hamburg an? ↗

Entschuldigung, wo ist das Bistro? ↘

Wie komme ich nach Seebüll? ↘

Wann kommt der Zug in Hamburg an? ↘

W-Fragen höflich/freundlich:	Wann kommt der Zug in Hamburg an? ↗
W-Fragen sachlich:	Wann kommt der Zug in Hamburg an? ↘

A 19   2.18
Sprechen Sie freund-
lich und sachlich.

Dialoge sprechen

1
● Entschuldigung, ist hier noch frei? ↗
○ Ja, natürlich. ↘
  Ich nehme die Tasche weg. ↘
● Danke, das ist sehr freundlich. ↘

2
● Darf man hier rauchen? ↗
○ Nein, hier ist Nichtraucher, ↘
  gehen Sie doch ins Bistro. ↘

3
● Die Fahrkarte, bitte. ↘
○ Hier, bitte. ↘ Möchten Sie auch die
  Bahncard sehen? ↗
● Nein, danke. ↘ Gute Reise. ↘

4
● Hat der Zug Verspätung? ↗
○ Ja, wir sind um halb neun
  in Hamburg. ↘

A 20   2.19
a) Lesen Sie
halblaut mit.
b) Sprechen Sie mit
dem Partner / der
Partnerin.

Grammatik

Über Vergangenes sprechen: Perfekt

A 21
a) Lesen Sie die Texte und markieren Sie die Verben.

1

Gegenwart

In Hamburg wartet Ines zwei Stunden auf Robert. Aber er kommt nicht. Sie schickt zwei SMS – er antwortet nicht.
Ines fährt dann allein nach St. Peter-Ording. Am Abend telefoniert sie mit Robert:

2

Vergangenheit

„In Hamburg habe ich zwei Stunden auf dich gewartet. Aber du bist nicht gekommen. Ich habe zwei SMS geschickt – du hast nicht geantwortet. Ich bin dann allein nach St. Peter-Ording gefahren!"

b) Schreiben Sie die Verben im Perfekt. Ergänzen Sie die Tabelle.

→ Ü 17

Infinitiv	Präsens-Formen	Perfekt-Formen		
warten	Ines wartet	*ich*	*habe*	*gewartet*
kommen	er kommt			
schicken	sie schickt			
antworten	er antwortet			
fahren	Ines fährt			
telefonieren	sie telefoniert	*ich*	*habe*	*telefoniert*
		Subjekt	„haben"/„sein"	Partizip II

A 22
Sortieren und ergänzen Sie.

→ Ü 18

Partizip II

gemacht • gewartet • geantwortet • telefoniert • gefahren
geschlafen • geschickt • gekommen • reserviert

ge-mach-t	*ge-schlaf-en*	*reservier-t*

Regel
Ergänzen Sie.

Perfekt regelmäßige Verben	unregelmäßige Verben	Verben auf -ieren
ge- ... -(e)t		

Perfekt: Satzklammer

A 23

Schreiben Sie
die Sätze in die
Satzklammer.

→ Ü 19

Heute Mittag ist Robert gekommen. Am Nachmittag sind wir zum Leuchtturm gewandert. Am Abend haben wir in einem Restaurant Fisch gegessen. Im Hotel haben wir Pläne für die nächste Woche gemacht. Robert hat bald geschlafen.

1	„haben"/„sein"	Satzklammer	Partizip II
Heute Mittag	ist	Robert	gekommen.

Regel

Ergänzen Sie.

Satzklammer: Perfekt (Aussagesatz)

Die Formen von „_____" oder „_____" stehen in Position _____.

Das _____ steht am Satzende.

Textreferenz: Personalpronomen (Nominativ und Akkusativ)

A 24

Machen Sie Pfeile.
Wer ist „ich",
„ihn", …?

→ Ü 20

Ines erzählt: „In Hamburg am Bahnhof habe ich zwei Stunden auf Robert gewartet. Ich habe ihn überall gesucht, aber ich habe ihn nicht gesehen – oder er hat mich nicht gesehen. Ich habe Robert zwei SMS geschickt – aber er hat nicht geantwortet."

Am Abend schreibt Ines: Heute Mittag ist Robert gekommen. Endlich sind wir zusammen!

Am Nachmittag haben wir einen Spaziergang gemacht. Ein Tourist hat uns gefragt: „Kann ich euch fotografieren?" Er hat viele Fotos gemacht.

A 25

Schreiben Sie die
Personalpronomen
aus A 24 in die Tabelle.

→ Ü 21

Personalpronomen: Nominativ und Akkusativ

	Singular					Plural			
Nominativ	ich	du	er	es	sie	wir	ihr	sie	Sie
Akkusativ	____	dich	____	es	sie	____ ____		sie	Sie

Verb und Subjekt: Konjugation Präsens (2. Person Plural)

A 26 2.10

Hören Sie A 6b
und ergänzen Sie
die Tabelle.

→ Ü 22 – 23

	sein	müssen	suchen
wir	sind	_____	_____
ihr	⚠ seid	_____	sucht
Sie	_____	müssen	suchen
sie	sind	müssen	_____

Turmwohnung

A 1
Die Wohnsituation beschreiben
Sammeln Sie Informationen über Herrn Probst:

Wohnung
Wohnort

2.20

A 2
Was hat Herr Probst gemacht? Notieren Sie.
→ Ü 1 – 3

● Herr Probst, Sie haben 14 Jahre in einem Turm gewohnt!
○ Ja, das stimmt. Ich war 14 Jahre lang Turmwächter im Berner Münster. Und da habe ich mit meiner Frau zusammen oben im Münsterturm gewohnt.

A 3
a) Zeichnen Sie einen Plan mit den Wörtern für die Räume.
b) Fragen Sie den Partner / die Partnerin.

● Wie hoch oben haben Sie denn gelebt?
○ Die Wohnung ist etwa auf 50 Meter Höhe.
● Und war die Wohnung nicht zu groß?
○ Doch für mich und meine Frau war sie sehr groß …
● Wie viele Zimmer hatten Sie?
○ Vier. Ein Wohnzimmer, ein Schlafzimmer und ein Büro, und natürlich auch Küche, Bad und WC. Und dann im zweiten Stock noch ein großes Zimmer.
● Und keinen Balkon?
○ Doch, doch. Rund um die Wohnung. Von dort war die Aussicht ganz besonders: Bei schönem Wetter hat man sogar die Berner Alpen gesehen.
● Das war sicher toll! Und wie hoch ist der Turm?
○ Der Münsterturm ist genau 100 Meter hoch, die Wohnung ist etwa in der Mitte. Da ist ein Aussichtspunkt.
● Und was haben Sie als Turmwächter gemacht?

Wohnen in Bern

Das Wappentier von Bern ist der Bär. Die Altstadt, der Fluss – die Aare – und der Bärengraben sind weltberühmt. Berühmt ist Bern auch für die Berner „Rösti". Der Maler Paul Klee ist in Bern aufgewachsen und Albert Einstein hat in Bern die Relativitätstheorie entwickelt. Bern ist seit 1848 die Hauptstadt der Schweiz. In der Region Bern wohnen etwa 300 000 Menschen.

A 4
Den Wohnort beschreiben
Ordnen Sie die Informationen über Bern.

Essen
Geschichte

→ Ü 4

Ella Z. ist in Girona in Spanien geboren. Sie ist mit zwölf Jahren in die Schweiz gekommen. Ella Z. hat drei Jahre in Bern gewohnt. Sie hatte eine Wohnung im Zentrum. Dort hat sie viel Miete bezahlt. Früher war sie ein Stadtmensch. Sie ist oft ausgegangen. Heute wohnt sie auf dem Land, in einem Bauernhaus, und hat gern Ruhe ...

A 5 2.21
Über die Wohnsituation sprechen
a) Was erzählen die Leute?
Machen Sie Notizen.

Ella Z.
Otfried H.
Susanna C.

→ Ü 5

Otfried H. ist in Friedrichskoog in Deutschland, in einem Dorf an der Nordsee aufgewachsen. Später hat er in Hamburg studiert. Dort ist er drei Jahre geblieben. Vor einem Jahr ist er nach Bern gekommen. Er wohnt im Zentrum in einem Wohnblock. Er lebt mit seiner Freundin zusammen in einer Einzimmerwohnung ...

b) Lesen Sie und ergänzen Sie die Notizen.

Susanna C. ist in der Schweiz, in Kandersteg aufgewachsen. Susanna ist mit sechzehn von zu Hause weggegangen und hat in einer Fabrik gearbeitet. Vor zehn Jahren hat sie geheiratet. Heute ist sie geschieden und hat zwei Kinder. Susanna C. ist vor kurzem umgezogen. Sie wohnt jetzt am Stadtrand von Bern, in einer Siedlung. Die Wohnung ist modern, praktisch und komfortabel ...

Wohnort und Wohnsituation beschreiben

Wo wohnst du?	Ich wohne in einem Dorf.
Wo liegt das?	In der Nähe von ...
Was ist dort berühmt?	Da hat die Malerin ...
Seit wann wohnst du in ...?	Vor drei Jahren bin ich nach ... gekommen.
Wo hast du früher gewohnt?	Ich habe auf dem Land gewohnt.
Wie groß ist ...?	12 Quadratmeter. 3 Meter lang und 4 Meter breit.
Wie viele Zimmer hat ...?	Zwei Zimmer, Küche und WC.
Hast du kein ...?	Doch, ich habe ein ...

A 6
a) Sammeln Sie Informationen über Ihren Wohnort und Ihre Wohnsituation.
b) Fragen Sie.

→ Ü 6

In der Siedlung

A 7
Über Wohnräume sprechen
a) Welcher Dialog passt zu welchem Bild? Ordnen Sie zu.

2.24 b) Wie gefällt den Leuten die Wohnung? Was sagen sie?

Dialog 1

→ Ü 7 – 8

Seit zwei Wochen wohnen Susanna C. und die Kinder Mischa und Eva am Stadtrand von Bern. Die Kinder finden es toll. Jetzt können sie draußen spielen und die Schule ist ganz nah. Aber Susanna muss jeden Tag 45 Minuten mit der S-Bahn zur Arbeit fahren. Das findet sie nicht so gut.
Heute machen Susanna, Mischa und Eva ein Fest, sie haben Nachbarn, Freunde und Bekannte eingeladen.

c) Lesen Sie die Dialoge und sammeln Sie:

Möbel
Farben

1
● Das Wohnzimmer finde ich originell.
○ Originell? Mir gefällt es nicht.
● Mir schon.
○ Sieh mal: Das Sofa ist blau und oval, der Sessel grün und die Wände sind gelb. Das passt nicht zusammen. Und dann der Boden grau und der Teppich rosa, und dazu der Sessel aus Holz, und die Lampen ...

3
● Habt ihr keinen Herd?
○ Doch, hier. Ganz modern, ohne Knöpfe.
● Und die Heizung?
○ Wir haben Gas. Das ist sehr praktisch. Früher haben wir mit Öl geheizt...
● Entschuldigung, wo ist die Toilette?
○ Wie bitte?
● Ich suche die Toilette.
○ Ach so. Im Flur ...

A 8
Ergänzen Sie Ihren Plan von A 3. Zeichnen Sie Möbel und Gegenstände.

2
● Hast du das Bild da hinten gesehen? Wie gefällt es dir?
○ Das finde ich super! Das da gefällt mir auch.
● Und das Foto – ziemlich alt. Wo ist das wohl?
○ In Italien, in Rom. Das ist ein Film-Foto, „Roman Holiday", 1953!
● Aha ...

4
● Schön, wirklich schön. Gratuliere!
○ Danke, uns gefällt es auch. Also hier im Kinderzimmer ist noch nicht alles fertig. Der Schreibtisch, der Stuhl und das Bücherregal – das ist zu viel.
● Und da vorne, ist da der Balkon?
○ Ja, da ist gleich die Autobahn. Da ist es ein bisschen laut.

A 9
Auf dem Fest: Wie gefallen Ihnen die Räume? Spielen Sie.

→ Ü 9

Über Wohnungen und Möbel sprechen

Wie gefällt dir das?	Mir gefällt es nicht.
	Das finde ich originell.
Hast du das Bild gesehen?	Das finde ich super.
Wie gefallen dir die Möbel?	Die passen nicht zusammen.
Habt ihr kein ... ?	Doch, hier.
	Nein, leider nicht.
Das Sofa ist blau und der Sessel ist grün.	
Schön, gratuliere!	Danke, uns gefällt es auch.

Ein Bild beschreiben

A 10
a) Wie gefällt
Ihnen das Bild?
Diskutieren Sie.

Mir gefällt …

Ich finde es ….

Es ist …

Villen am Hügel

Dieses Bild hat Gabriele Münter 1911 gemacht. Sie hat es „Villen am Hügel" genannt.

Man sieht vier Häuser. Sie sind groß und blaugrün. Die Fenster sind schwarz, die Dächer rotbraun und schwarz. Es gibt keine Türen, nur Fenster. Der Himmel ist groß und hellgelb.

Durch das Bild geht eine Linie von oben links nach rechts unten. Das ist der Hügel. Gabriele Münter hat den Hügel grün und grüngelb gemalt. Hinten sind die Häuser. Sie stehen schräg auf dem Hügel. Vorne stehen Pflanzen und Bäume. Sie sind schwarz oder gelbschwarz.

Alles ist sehr einfach und fast primitiv. Das Bild ist leer. Man sieht keine Personen.

b) Lesen Sie und
vergleichen Sie mit
dem Bild.

c) Hören Sie   2.28
einen Kommentar
zum Bild. Vergleichen
Sie mit Ihrer Meinung.

→ Ü 10

Texte schreiben

TITEL: Villen am Hügel

1. Wer? Was? Wann?
Gabriele Münter, _____
Sie hat _____ gemacht.

2. Das Bild

Ausdrücke	Wörter
Dieses Bild hat ..	das Haus, Häuser, der Himmel, …
Es ist …	Farben, Linien, …
Man sieht …	groß, schwarz, …
Es gibt …	
Hinten sind …	oben, links, …

3. Schluss: Meine Meinung
Ich finde …
Mir gefällt …

A 11
Sehen Sie das Bild
an und lesen Sie.
Ergänzen Sie Wörter
und Ausdrücke.

A 12
a) Suchen Sie ein
Bild und planen Sie
das Schreiben.
b) Schreiben Sie
und vergleichen Sie.

→ Ü 11

Farben, Möbel und Gegenstände

A 13
a) Welche Möbel und Gegenstände finden Sie auf dem Bild?

→ Ü 12 – 14

der Computer
der Spiegel   der Herd
der Schank
der Teppich   das Telefon
der Tisch
der Fernseher
das Regal
der Sessel
das Kissen
das Bild
die Lampe

b) Spielen Sie.

● Was ist gelb?
○ Die Tür.
● Falsch.
○ Der Stuhl.

● Richtig, er ist gelb und die Tür ist blau.
○ Was ist weiß?
...

weiß – grau – braun – rot – orange – gelb – grün – blau – violett – schwarz

Räume und Häuser

A 14
a) Zeichnen Sie ein Haus. Schreiben Sie die Wörter hinein.

 b) Notieren Sie:

Anzahl Zimmer Lage

→ Ü 15

das Haus	das Zimmer	die Tür
der Keller	das Fenster	das Dach
der Boden	die Decke	die Wand
die Treppe	das Erdgeschoss	
der Kamin	der erste Stock	

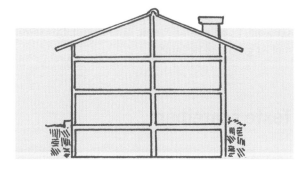

A 15
a) Wo wohnt Eva?
b) Sammeln Sie Wörter und Wendungen.
c) Beschreiben Sie die Häuser.

Konsonanten: b-p, d-t, g-k

A 16 2.31

a) Lesen Sie halblaut mit.
b) Sprechen Sie.

[b] —— haben, **B**ad

[d] —— **d**anke

[g] —— **g**ut

[p] < **P**lan / Te**pp**ich / gel**b**, (du) blei**b**st

[t] < **T**isch / Toile**tt**e / Sta**d**t / **Th**eater / un**d**

[k] < pra**k**tisch, / e**ck**ig / Ta**g**, (du) fra**g**st

A 17 2.32

Sprechen Sie nach.

Sie lesen/schreiben b, d, g:

gel**b**, un**d**, Ta**g**
blei**b**st, fra**g**st

Sie hören/sprechen [p,t,k]:

gel[p], un[t], Ta[k]
blei[p]st, fra[k]st

Bil**d**er – Bil**d**   Län**d**er – Lan**d**   Ta**g**e – Ta**g**   fra**g**en – er fra**g**t
Dialo**g**e – Dialo**g**   Ver**b**en – Ver**b**   blei**b**en – du blei**b**st   schrei**b**en – du schrei**b**st

[b] [p]   Das Wa**pp**entier von **B**ern ist der **B**är. Und was ist das Wa**pp**entier von **B**erlin?
[d] [t]   **D**ie Wän**d**e sin**d** gelb, der Bo**d**en ist blau und rot. Ziemlich bun**t** – **d**as gefäll**t** mir!
[g] [k]   **K**eine Menschen – nur Häuser. Sie sind blau**g**rün und stehen schrä**g** auf dem Hü**g**el.

A 18 2.33

Lesen Sie halblaut mit. Sprechen Sie.

Wortakzent: Komposita

A 19 2.34

Lesen Sie halblaut mit. Sprechen Sie.

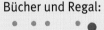

Bücher und Regal: Bücherregal
• • • • •   ●
Stadt und Zentrum: Stadtzentrum
• • • •   • • •
Kinder und Zimmer: Kinderzimmer
• • • •   ● • • •

Der Wortakzent bei Komposita ist auf dem ersten Wortteil.

Turmwohnung • Kinderzimmer • Wohnblock • Stadtzentrum • Straßenbahn
Stadtmensch • Stadtrand • Wohnzimmer • Schreibtisch • Bärengraben • Bücherregal

A 20 2.35

A klopft einen Rhythmus. B nennt ein passendes Wort.

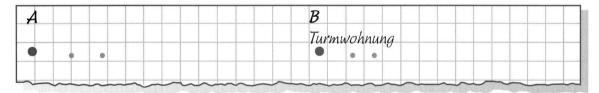

A

B
Turmwohnung

Schwierige Wörter aussprechen

A 21 2.36

Sprechen Sie langsam/schnell.

Stadtrand ↗   am Stadtrand ↗   Wohnst du am Stadtrand? ↗

Turmwohnung ↘   eine Turmwohnung ↘   Herr Probst hatte eine Turmwohnung. ↘

Kinderzimmer ↘   das Kinderzimmer ↘   Und das ist das Kinderzimmer. ↘

Partizip II: trennbare Verben – nicht trennbare Verben

A 22
Markieren Sie
das Partizip II.

Wohnen in Bern

Herr Probst hat den Touristen etwas über Bern erzählt.

Ella Z. hat in der Stadt viel Miete bezahlt. Dort ist sie oft ausgegangen.

Der Maler Paul Klee ist in Bern aufgewachsen und Albert Einstein hat in Bern die Relativitätstheorie entwickelt.

Susanna C. ist vor kurzem in Bern umgezogen.

A 23
a) Sortieren Sie die Partizipien aus A 22.
b) Schreiben Sie den Infinitiv.
c) Betonen Sie richtig.

→ Ü 16

Partizip II	Infinitiv	Partizip II	Infinitiv
aus/ gegangen	(ausgehen)	bezahlt	(bezahlen)
ge	( )		( )
ge	( )		( )

Regel

Ergänzen Sie.

Verben mit trennbarem Präfix

(auf-, aus-, um-, …) Präfix: *betont*

Partizip II: Präfix + -___ + … -(e)t / -en:

aus/ge-gang-en

Verben mit nicht trennbarem Präfix

(er-, ent-, be-, …) Präfix: _____

Partizip II: *ohne -ge-*:

be-zahl-t

Über Vergangenes sprechen: Perfekt mit „haben" oder „sein"

A 24
a) Markieren Sie Perfekt-Formen mit „sein" und Perfekt-Formen mit „haben".
b) Sortieren Sie die Verben im Infinitiv.

→ Ü 17 – 18

Ottfried H. ist in Friedrichskoog aufgewachsen. Er hat in einem Dorf an der Nordsee gewohnt. Später hat er in Hamburg studiert. Dort ist er drei Jahre geblieben. Vor einem Jahr ist er nach Bern gekommen.

Die meisten Verben:	„Bewegung zu einem Ziel" oder „Veränderung":
Perfekt mit „haben"	Perfekt mit „sein"
wohnen,	*kommen,*

Regel

Ergänzen Sie.

Perfekt mit „haben" oder „sein"

Die meisten Verben bilden das Perfekt mit _____.

Verben mit der Bedeutung „Bewegung zu einem Ziel" oder „Veränderung" bilden das Perfekt mit

_____.

⚠ **bleiben →** Dort **ist** er drei Jahre **geblieben**.

Über Vergangenes sprechen: Präteritum von „haben" und „sein"

Herr Probst erzählt: Ich war 14 Jahre lang Turmwächter. Ich habe mit meiner Frau im Münsterturm gewohnt. Wir hatten vier Zimmer und einen Balkon. Von dort war die Aussicht ganz besonders: Bei schönem Wetter hat man sogar die Berner Alpen gesehen. Ella Z. hatte eine Wohnung im Zentrum. Früher war sie ein Stadtmensch.

A 25
a) Schreiben Sie die Sätze in die Satzklammer.
b) Notieren Sie den Infinitiv.

		Satzklammer		Infinitiv
Ich	war	14 Jahre lang Turmwächter.		sein
Ich	habe	mit meiner Frau im Münsterturm	gewohnt.	

Präteritum von „haben" und „sein"

A 26
Ergänzen Sie die Verbformen und die Endungen.

→ Ü 19 – 20

	sein	Endung	haben	Endung
ich	_____	–	ha tt e	-e
du	war st	-st	ha tt est	-est
Sie	war en	-_____	ha tt en	-_____
er, es, sie	_____	–	_____	-e
wir	war en	-_____	_____	-_____
ihr	war t	-t	ha tt _____	-et
Sie	war _____	-en	ha tt en	-en
sie	war en	-_____	ha tt en	-_____

Über Vergangenes sprechen Verben „haben", „sein"	Andere Verben	**Regel**
Präteritum: _ich war, ich …_____	Perfekt: „sein" oder _____ + _____	Ergänzen Sie.
Die Wohnung war laut. Wir hatten zwei Zimmer.	Ella ist in Spanien aufgewachsen.	

Satz: Ja-/Nein-Frage mit „nicht" oder „kein-"

War die Wohnung zu groß?
● Nein (, sie war nicht zu groß).
○ Ja (, sie war zu groß).

War die Wohnung nicht zu groß?
● Nein (, sie war nicht zu groß).
○ Doch (, sie war zu groß).

Hatte sie keinen Balkon?
● Nein (, sie hatte keinen Balkon).
○ Doch (, sie hatte einen Balkon).

A 27
Lesen Sie laut.

→ Ü 21

Ja-/Nein Frage	Ja-/Nein-Frage mit „nicht" oder „kein-"	**Regel**
Antwort: – _Nein_	**Antwort:** –	Ergänzen Sie.
+	+	

Die Einladung

A 1
Einladen
Wer kommt zum
Geburtstag?

→ Ü 1

Claudia Höfer hat Geburtstag. Ihr Freund Stefan
kocht gern. Claudia hat ein paar Freundinnen eingeladen, Stefan seinen Arbeitskollegen Franz Kohl.
Sie schicken ihnen eine Einladung.

> EINLADUNG
>
> WANN?   AM 8. JUNI
> WO?   KUPFERGASSE 4, LEIPZIG
> WAS?   ABENDESSEN MIT FREUNDEN
>
> Claudia und Stefan

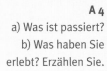

A 2

a) Was fragt Christine
am Telefon?
Vergleichen Sie.
b) Notieren Sie
Claudias Antworten.

→ Ü 2–3

A 3
Gäste empfangen

2.38

a) Wie
viele Personen
sprechen?
b) Spielen Sie
Dialoge.

→ Ü 4

● Guten Abend, Herr Kohl! Schön, dass Sie
kommen.
○ Danke für Ihre Einladung. Und das habe ich
Ihnen mitgebracht.
● Oh, vielen Dank für die Blumen. Die sind
wunderschön.
○ Mir gefallen sie auch.
● Darf ich vorstellen, das ist meine Freundin,
Christine Berger.
○ Hallo, Frau Berger. Ich bin Franz Kohl, ein
Kollege von Stefan.
■ Guten Abend. Freut mich.
● Was kann ich Ihnen anbieten? Einen Aperitif,
Sekt, Bier, Wein, Saft ...?
○ Einfach ein Glas Wasser, bitte.
● Und du, Christine, was nimmst du?
■ Ich trinke einen Sekt mit dir!
● Also dann, zum Wohl!
■ Zum Wohl! Wo ist eigentlich dein Freund?
● Stefan ist in der Küche. Heute kocht der Chef
persönlich.
■ Komm, wir bringen ihm auch einen Sekt.

A 4
a) Was ist passiert?
b) Was haben Sie
erlebt? Erzählen Sie.

Die Speisekarte

Das Essen ist angebrannt. Stefan und Claudia gehen mit ihren Freunden zum Restaurant „Alt-Leipzig". Sie sehen die Speisekarte an.

Restaurant Alt-Leipzig

8. Juni

Vorspeisen	
Bunter Salatteller mit Thunfisch und Toast	6,70 €
Geräucherte Forelle	6,50 €
Suppentopf mit Huhn	4,80 €
Knoblauchrahmsuppe	4,20 €
Nudelsuppe	3,50 €

Hauptspeisen	
Forelle blau mit Salzkartoffeln und Salat	11,20 €
Gemüse überbacken mit Nudeln	8,40 €
Filetsteak in Pfefferrahmsauce mit Gemüse und Kartoffelkroketten	22,50 €
Hühnerschnitzel in Currysauce mit Früchtereis	9,50 €

A 5
Eine Speisekarte lesen
a) Welche Speisen kennen Sie nicht? Fragen Sie.
→ Ü 5

b) Stellen Sie ein Menü zusammen.

● Und? Was meint ihr?
○ „Forelle blau", das klingt gut. Ich habe Lust auf Fisch.
■ Ich glaube, ich nehme ein Steak, riesengroß! Ich habe so einen Hunger!
☐ Ich esse heute lieber kein Fleisch. Gibt es auch Vegetarisches?

● Ja, da, „Gemüse überbacken", und es gibt bestimmt noch mehr ohne Fleisch.
■ Gehen wir doch einfach rein.
● Ich hoffe, es ist noch Platz. Wir haben ja nicht reserviert. Ich frage mal.
○ Ja, mach das, bitte.

A 6
a) Lesen Sie. Von welchen Speisen sprechen die Personen?
b) Hören Sie. Was geschieht? (2.39)
→ Ü 6 – 8

Gäste empfangen
Guten Abend. Schön, dass Sie kommen.
Was kann ich Ihnen anbieten? Es gibt … .
Was möchtest du trinken?
Was nimmst du?

Danke für die Einladung.
Ein Glas Wasser, bitte.
Danke, im Moment nichts.
Einen Saft, bitte.

Ein Geschenk überreichen
Hier, die sind für Sie.
Das ist für dich.

Vielen Dank für die Blumen.
Das ist aber lieb von dir.

A 7
Was machen Claudia und ihre Freunde?

Imbiss

2.40

A 8
Über Essen sprechen
Worüber sprechen
die Personen?

→ Ü 9

● Schmeckt's?
○ Es geht, ich habe schon besser gegessen.
● Du bist nie zufrieden, du Superkoch du!
Willst du mal meinen Döner probieren? Schmeckt phantastisch!
■ Und mein Bier, frisch aus der Dose! Super!
□ Der Gemüse-Burger! Sehr fein.

A 9
Smalltalk beim Essen:
Spielen Sie.

■ Dann trinken wir mal auf dich, Claudia. Alles Gute zum Geburtstag! Auf dich!

A 10
Postkarten schreiben
a) Welche Informationen sind neu? Markieren Sie.

→ Ü 10 – 12

b) Sie waren Gast bei ... . Schreiben Sie eine Postkarte.

Liebe Petra,

leider warst du nicht da. Das war ein Geburtstag! Stefan hat gekocht, alles ist angebrannt.
Und im „Alt-Leipzig" war kein Platz. Dann haben wir am Dönerstand gegessen und gefeiert. Und dann: Tanzen bis in den Morgen. Das war richtig gut!
Ich habe viele Geschenke bekommen. Ein Kollege von Stefan hat mir sooo einen Blumenstrauß gebracht. Und Stefan – der hat mir ein Wochenende in Hamburg geschenkt!
Christine fährt mit nach Hamburg! Und du? Hast du auch Lust?

Bis bald, deine Claudia

Über das Essen sprechen

Guten Appetit!	Danke.
Zum Wohl! Prost!	Zum Wohl! Prost!
Auf dich!	Auf uns!
Möchtest du mal versuchen?	Ja, gerne.
Das musst du probieren.	Nein, danke, lieber nicht.
Wie ist das Essen?	Es ist ganz frisch. Es schmeckt gut.
	Es geht. Ich esse lieber ...

Gratulieren

Alles Gute zum Geburtstag!	Vielen Dank.

Texte kürzen

NUDELAUFLAUF MIT GEMÜSE

Zutaten (für sechs Personen):
700 g breite Nudeln
400 g Käse
300 g Tomaten
½ kg Spinat
200 g Karotten

Zutaten für die Sauce:
70 g Mehl
50 g Butter
¾ l Milch
2 Eier
Salz, Pfeffer, Muskatnuss

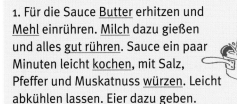

A 11
a) Markieren Sie
die Zutaten im Text.

1. Für die Sauce <u>Butter</u> erhitzen und <u>Mehl</u> einrühren. <u>Milch</u> dazu gießen und alles <u>gut rühren</u>. Sauce ein paar Minuten leicht <u>kochen</u>, mit Salz, Pfeffer und Muskatnuss <u>würzen</u>. Leicht abkühlen lassen. Eier dazu geben.

2. Käse in Scheiben schneiden. Tomaten kurz kochen und schälen, in Scheiben schneiden. Spinat kurz kochen und würzen. Karotten dünn schneiden. Backofen auf 180 °C einschalten.

3. Nudeln nur kurz kochen, einen Teil in eine Form geben, Tomaten und Käse darauf legen. Nudeln darüber geben, Spinat und Karotten darauf verteilen, darüber Nudeln und Tomaten. Auf jede Lage ein wenig Sauce geben.

4. Käse auf den Auflauf streuen und ca. 50 Minuten in den Backofen geben.

b) Welche Verben und
Ausdrücke passen zu
den Zeichnungen?
c) Suchen Sie Aus-
drücke mit Verben im
Text. Markieren Sie.

→ Ü 13

1. Sauce: Butter - Mehl - Milch: gut rühren, kurz kochen, würzen. Eier dazu.
2.

A 12
Wie kocht man Nudel-
auflauf? Notieren Sie.

Mit Textbausteinen schreiben

1 <u>Ich esse wenig</u> Fleisch. Ich bin kein Vegetarier, aber <u>es schmeckt mir nicht</u>. <u>Ich esse lieber</u> Gemüse und Salat. Torten und Kuchen mag ich nicht gerne, Obst schmeckt mir viel besser. Ich esse sehr gesund. Ich trinke nie Kaffee.

2 Ich esse meistens schnell. Am Morgen habe ich keine Zeit: ein Kaffee, ein Brot - das ist mein Früh-stück. Ich bin wenig zu Hause, und zu Mittag esse ich schnell einen Salat oder einen Imbiss, Döner oder Pizza, oft im Stehen. Am Abend esse ich gerne kalt: Brot, Wurst, Käse, dazu ein Bier.

3 Gut essen ist für mich wichtig. Ich genieße das, und ich brauche Zeit. Zu Mittag esse ich nur wenig. Aber am Abend mal ein Menü, dazu einen Wein, das mag ich. Das mag ich lieber als zu Mittag essen. Ich esse auch gerne Fleisch.

A 13
a) Welcher Text
passt zu Ihnen?
b) Was essen Sie
(nicht) gern? Mar-
kieren und notieren
Sie Textbausteine.

→ Ü 14

A 14
Und Ihr Text?

Kochen und essen

A 15
Lesen Sie die Wörter
laut. Wo machen Sie
das? Zeigen Sie auf
die Zeichnung.

→ Ü 15

die Sauce
kochen

Nudeln
kochen

die Tomaten
schneiden

den Tisch
abräumen

den Tisch
decken

satt sein

einen Kaffee
machen

den Salat
waschen

das Geschirr
abwaschen

das Essen
genießen

etwas zum
Essen machen

die Getränke
holen

Hunger und
Durst haben

Den Tisch decken

A 16
Decken Sie den Tisch:
Zeichnen Sie.

→ Ü 16

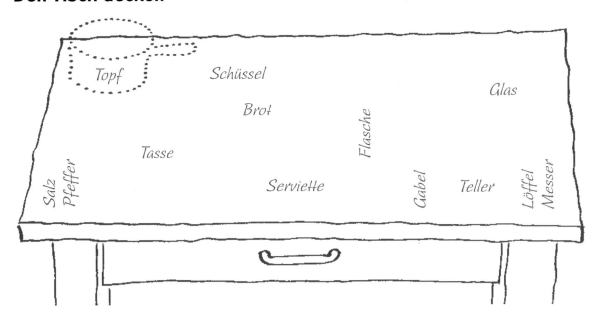

Topf

Schüssel

Glas

Brot

Flasche

Tasse

Salz
Pfeffer

Serviette

Gabel

Teller

Löffel
Messer

Was ist …?

2.41

A 17
a) Was ist …?
Kreuzen Sie an.
b) Notieren Sie
Ihre Wörter.

→ Ü 17

süß

sauer

scharf

frisch

trocken

heiß

kalt

wie

☐ die Torte

☐ die Zitrone

☐ der Pfeffer

☐ das Brot

☐ das Brötchen

☐ das Fleisch

☐ das Eis

☐ die Limonade

☐ der Apfel

☐ der Essig

☐ das Gemüse

☐ der Kuchen

☐ das Huhn

☐ der Orangensaft

_____

_____

_____

_____

_____

_____

_____

Konsonanten: s, sp, st, sch

[s] — Glas / Essen / süß

[z] —— **S**alat

[ʃ] —— **sch**mecken

[ʃt] —— **St**unde

[ʃp] —— **Sp**inat

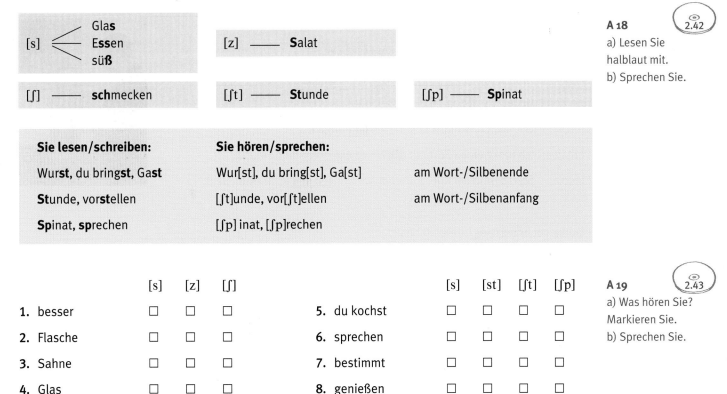

A 18
2.42
a) Lesen Sie halblaut mit.
b) Sprechen Sie.

Sie lesen/schreiben:	Sie hören/sprechen:	
Wur**st**, du bring**st**, Ga**st**	Wur[st], du bring[st], Ga[st]	am Wort-/Silbenende
Stunde, vor**st**ellen	[ʃt]unde, vor[ʃt]ellen	am Wort-/Silbenanfang
Spinat, **sp**rechen	[ʃp]inat, [ʃp]rechen	

	[s]	[z]	[ʃ]
1. besser	☐	☐	☐
2. Flasche	☐	☐	☐
3. Sahne	☐	☐	☐
4. Glas	☐	☐	☐

	[s]	[st]	[ʃt]	[ʃp]
5. du kochst	☐	☐	☐	☐
6. sprechen	☐	☐	☐	☐
7. bestimmt	☐	☐	☐	☐
8. genießen	☐	☐	☐	☐

A 19
2.43
a) Was hören Sie? Markieren Sie.
b) Sprechen Sie.

[s] und [z] Da**s** Gemü**s**e mü**ss**en **S**ie e**ss**en! ↘ **S**ehr gut! ↘

[st] und [ʃt] Ich habe Lu**st** auf Ob**st**. ↘ Kann ich einen Ob**st**salat be**st**ellen? ↗

[z] und [ʃ] Der **S**ekt **sch**meckt sehr gut , etwas süß, aber **sch**ön kalt. ↘

A 20
2.44
Sprechen Sie nach.

Dialoge sprechen

- ● Guten Abend! ↘
  Schön, dass Sie kommen ↘
- ○ Danke für die Einladung. ↘
  Die Blumen sind für Sie! ↘
- ● Wie schön! ↘ Vielen Dank! ↘
  Kann ich Ihnen etwas anbieten? ↗
- ○ Ja, gerne. ↘
- ● Was möchten Sie trinken? ↘
  Sekt? ↗ Orangensaft? ↗
- ○ Ein Glas Mineralwasser, bitte. ↘

A 21
2.45
a) Lesen Sie halblaut mit.
b) Sprechen Sie mit dem Partner / der Partnerin.

Textreferenz: Personalpronomen (Dativ)

A 22
a) Worauf beziehen sich die Wörter? Zeichnen Sie Pfeile.

→ Ü 18

Claudia Höfer hat Geburtstag und lädt

Freunde ein. Sie hat ihnen eine Einladung geschickt.

Claudia: Guten Abend, Herr Kohl! Was kann ich Ihnen anbieten?

Herr Kohl: Geben Sie mir ein Glas Wasser, bitte.

Claudia: Und du, Christine, was kann ich dir bringen?

Christine: Ich trinke einen Sekt mit dir. Wo ist eigentlich dein Freund?

Claudia: Stefan ist in der Küche. Komm, wir bringen ihm auch einen Sekt.

b) *Ihre* Sprache: Schreiben und vergleichen Sie.

→ Ü 19

Claudia hat Geburtstag. Stefan schenkt

ihr ein Wochenende in Hamburg.

Herr Kohl kommt auch. Claudia

bietet ihm einen Aperitif an.

_____

_____

_____

_____

Personalpronomen: Nominativ, Akkusativ und Dativ

A 23
Schreiben Sie die Pronomen aus A 22 in die Tabelle.

Nominativ	ich	du	er	es	sie	wir	ihr	sie	Sie
Akkusativ	mich	dich	ihn	es	sie	uns	euch	sie	Sie
Dativ	_____	_____	_____	*ihm*	_____			_____	_____

Satzbaupläne: Verb und Ergänzungen

A 24
Schreiben Sie die Sätze in die Tabelle.

→ Ü 20 – 21

Die Party von Claudia: Herr Kohl bringt ihr einen Blumenstrauß mit. Claudia bietet ihm einen Aperitif an. Stefan schenkt ihr ein Wochenende in Hamburg.

Subjekt **Wer? oder Was?**	**Verb**	**Dativ-Ergänzung** **Wem?**	**Akkusativ-Ergänzung** **Wen? oder Was?**	
Herr Kohl	*bringt*	*ihr*	*einen Blumenstrauß*	*mit*.

A 25
Ergänzen Sie Verben aus A 22.

Verben mit Dativ und Akkusativ:

schicken, _____

Textreferenz: Possessiv-Artikel

Gestern hatte Claudia Höfer Geburtstag. Stefan, ihr Freund,
kocht gern und sie haben ihre Freunde eingeladen.
Franz Kohl: Danke für Ihre Einladung, Frau Höfer.
Claudia: Das ist meine Freundin Christine.
Christine: Hallo, Claudia, wo ist eigentlich dein Freund?

	Claudia	Stefan
der Freund von:	☐	☐
die Freunde von:	☐	☐
die Einladung von:	☐	☐
die Freundin von:	☐	☐
der Freund von:	☐	☐

A 26

a) Was passt?
Kreuzen Sie an.

Possessiv-Artikel: Formen

Personalpronomen	ich	du	er	es	sie	wir	ihr	sie	Sie
Possessiv-Artikel	_____ -	_____ -	*sein-*	*sein-*	_____			_____ -	_____ -

b) Ergänzen Sie die
Possessiv-Artikel.

→ Ü 22 – 23

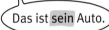 
Das ist sein Auto.

Das ist ihr Auto.

c) *Ihre* Sprache:
Schreiben und
vergleichen Sie.

Possessiv-Artikel: Nominativ und Akkusativ

	maskulin	**neutrum**	**feminin**	**Plural**
Nominativ	Das ist ein / kein / *mein* Stuhl.	Das ist ein / kein / _____ Auto.	Das ist ein**e** / kein**e** / _____ Karte.	Das sind ☐ / kein**e** / _____ Karten.
Akkusativ	Ich suche ein**en** / kein**en** / _____ Stuhl.	Ich suche ein / kein / _____ Auto.	Ich suche ein**e** / kein**e** / _____ Karte.	Ich suche ☐ / kein**e** / _____ Karten.

A 27
Ergänzen Sie die
Formen von „mein-"
in der Tabelle.

→ Ü 24 – 25

Genauso: dein-/Ihr-; sein-, ihr-; Ihr-; ihr-

Possessiv-Artikel

Regel

„mein-", „dein-", „sein-", ... haben die gleichen Endungen wie „ein, ein, eine" (im Singular) und wie
„kein, kein, keine".

Nominativ: Maskulin und Neutrum - _____   Feminin und Plural - _____

Akkusativ: Maskulin *-en*   Neutrum - _____   Feminin und Plural - _____

Ergänzen Sie
die Endungen.

Adjektive: Graduierung

Ich esse **gern(e)** Fleisch.
Torten und Kuchen schmecken **gut**.

gut   *besser*
gern(e)   *lieber*

Ich esse **lieber** Gemüse und Salat.
Obst schmeckt mir **besser**.

Körper und Gesundheit

Du musst zum Arzt ...

A 1
Über Krankheit sprechen
a) Sehen Sie das Bild an. Was hat der Mann?

2.46
b) Hören Sie und lesen Sie.

→ Ü 1

● Du siehst schlecht aus, Adrian.
○ Ach ...
● Was ist los mit dir?
○ Mir geht's nicht gut. Ich habe schlecht geschlafen. Und mein Hals tut weh.
● Willst du dich nicht hinlegen?
○ Nein, ich will nicht. Das geht vorbei.
● Möchtest du einen Tee?
○ Nein danke.
● Willst du eine Schmerztablette?
○ Ich habe schon eine genommen.
● Du musst zum Arzt gehen.
○ Nein, ich habe zu viel Arbeit. Ich muss ins Büro.

A 2
Was hat Herr Knupp gemacht?
Sammeln Sie.

→ Ü 2

Adrian Knupp war krank und wollte zu Hause bleiben, aber er musste ins Büro gehen. Er hatte sehr viel Arbeit. Im Büro konnte er sich nicht konzentrieren. Er hatte Kopfschmerzen. Er hat den Arzt angerufen und einen Termin für den Nachmittag reserviert. Am Nachmittag um halb zwei war Adrian Knupp beim Arzt. Bei der Anmeldung musste er die Versicherungskarte zeigen. Und dann hat er sich ins Wartezimmer gesetzt und eine halbe Stunde gewartet.

2.47
A 3
a) Was will der Arzt wissen? Notieren Sie die Fragen.
b) Welche Krankheit hat Herr Knupp? Was muss er jetzt tun?

→ Ü 3 – 4

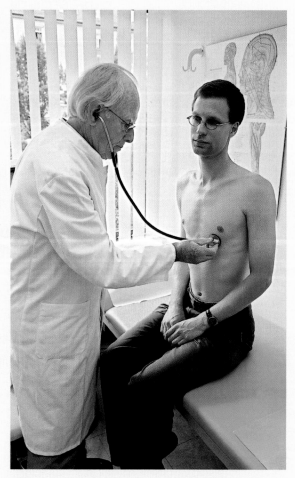

● Wie geht es Ihnen, Herr Knupp?
○ Ich fühle mich schwach. Ich war im Büro, aber ich konnte mich nicht konzentrieren
● Haben Sie Kopfschmerzen?
○ Ja, und der Hals tut auch weh.
● Und haben Sie Fieber?
○ Das weiß ich nicht. Ich habe noch nicht Fieber gemessen.
● Haben Sie sonst noch Schmerzen?
○ Ja, eigentlich überall ...
● Wo tut es genau weh?
○ Vor allem hier, in den Armen und Beinen.
● Seit wann haben Sie diese Schmerzen?
○ Also, gestern Abend war noch nichts, aber heute Morgen konnte ich fast nicht aufstehen.
● Aha. Dann setzen Sie sich bitte mal hier auf den Stuhl. So, und jetzt bitte tief einatmen ... und jetzt ausatmen ...

Gute Besserung ...

Wie verwenden Sie OptiCitran?

Einen Beutel OptiCitran in einem Glas mit heißem Wasser auflösen und möglichst heiß trinken. Bei Bedarf nach 4 Stunden wiederholen.

Nicht mehr als 3 Beutel pro Tag einnehmen. Wenn nach drei Tagen keine Besserung eintritt, müssen Sie einen Arzt aufsuchen.

Sie können OptiCitran zu jeder Tageszeit einnehmen, am besten aber abends oder vor dem Schlafengehen.

Was ist zu beachten?

Wenn Sie OptiCitran zusammen mit Alkohol einnehmen, kann die Reaktionsfähigkeit beeinträchtigt werden. Dies ist vor allem beim Fahren von Fahrzeugen oder beim Bedienen von Maschinen zu beachten.

Wichtig: OptiCitran möglichst frühzeitig bei Beginn der Erkrankung einnehmen.

OptiCitran
bei Erkältung und Grippe

hilft bei
- Schnupfen
- Halsschmerzen
- Kopfschmerzen
- Gliederschmerzen

Heißgetränk mit Vitamin C

A 4
Anleitungen verstehen
Notieren Sie:

> Wogegen?
> Wie?
> Wie oft?

→ Ü 5

Mit dem Rezept vom Arzt ist Adrian Knupp in die Apotheke gegangen und hat sich dort die Medikamente gekauft. Dann ist er nach Hause gegangen und hat einen Beutel OptiCitran im kalten Wasser aufgelöst und getrunken. Und dann hat er sich ins Bett gelegt und geschlafen. Ganz lange geschlafen ... Nach ein paar Tagen war das Fieber vorbei, aber Adrian Knupp hatte keinen Appetit. Und er war immer noch sehr müde und schwach. Er konnte noch nicht ins Büro gehen.

A 5
Was hat Herr Knupp nach dem Arztbesuch gemacht? Was hat er falsch gemacht?

→ Ü 6

- ● Hallo, Adrian. Wie geht's dir?
- ○ Danke. Es geht besser, aber ich bin immer noch müde.
- ● Was hast du genau?
- ○ Ich habe diese Grippe ...
- ● Welche Grippe?
- ○ Im Moment haben viele diese Grippe. Zuerst hatte ich Fieber mit Halsweh und Kopfweh. Ich war völlig kaputt, immer müde. Und jetzt liege ich im Bett und muss viel trinken.
- ● Trinken?
- ○ Ja, ich mag nichts essen. Ich muss viel Tee trinken. Tee mit Honig ...

A 6
Auskunft geben
a) Sehen Sie das Bild an. Wie geht es Herrn Knupp?

b) Worum geht es? Notieren Sie.

2.48

→ Ü 7

Über Krankheit sprechen

Wie geht es Ihnen?	Schlecht, mir geht's nicht gut.
Haben Sie Fieber?	Das weiß ich nicht. Ich habe nicht gemessen.
Haben Sie Kopfschmerzen?	Ja, und ich bin sehr müde.
Seit wann haben Sie die Schmerzen?	Gestern hatte ich noch keine Schmerzen, aber ...
Wo tut es genau weh?	Vor allem hier, in den Armen und Beinen.

A 7
a) Sie sind erkältet. Was machen Sie? Notieren Sie.

b) Spielen Sie.

→ Ü 8

10

Ein Arzt gibt Auskunft

A 8
Über Krankheit und Gesundheit sprechen
a) Was macht ein guter Arzt? Sammeln Sie.
b) Lesen Sie und vergleichen Sie.
→ Ü 9

Für Dr. Birrer ist das Gespräch zwischen Arzt und Patient sehr wichtig. Er benutzt für das Gespräch mit den Patienten eine Checkliste. Er spricht mit ihnen nicht nur über die Krankheit, sondern auch über die Familie und über die Arbeit. Als Arzt muss man auch gut zuhören, sagt Dr. Birrer. Probleme gibt es, wenn die Patienten nicht Deutsch, Französisch oder Englisch sprechen. Dann redet er mit Händen und Füßen ...

Wir haben mit Dr. Birrer auch über häufige Krankheiten gesprochen: Wann gehen die Leute zum Arzt? Warum? Viele Leute gehen zum Arzt, wenn sie Schmerzen haben oder Angst.

Erwachsene gehen vor allem dann zum Arzt, wenn sie eine Grippe haben oder erkältet sind. Aber auch Rückenschmerzen sind sehr häufig. Die Leute haben nicht genug Bewegung. Sie sitzen zu lange vor dem Fernseher oder vor dem Computer. Jugendliche verletzen sich oft beim Spielen oder beim Sport. Sie kommen mit kleinen Sportverletzungen, mit Verstauchungen oder Schnittwunden zum Beispiel. Bei Sportunfällen, wenn sie sich einen Fuß oder einen Arm gebrochen haben, kommen sie meist direkt ins Krankenhaus.
Kleine Kinder haben oft Probleme mit der schlechten Luft. Sie haben häufig Husten und Schnupfen, aber auch Ohrenschmerzen.

2.49
A 9
Welche Fragen stellt der Arzt? Welche Krankheiten sind häufig? Notieren und vergleichen Sie.
→ Ü 10

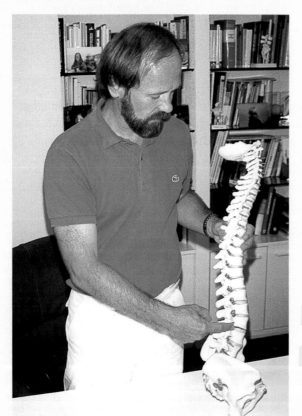

Checkliste
1. Beruf
2. Arbeitgeber
3. Allgemeinzustand
4. Gewicht
5. Appetit
6. Verdauung
7. Schlaf
8. Sport
9. Rauchen
10. Reisen
11. Herz
12. Atmung
13. Haut
14. Augen
15. Familie

A 10
a) Ordnen Sie die Fragen und die Stichwörter auf der Checkliste.
b) Beantworten Sie die Fragen und spielen Sie.
→ Ü 11

Dr. Birrer erklärt die Gründe für Rückenschmerzen: Die Leute haben nicht genug Bewegung.

Fragen zur Gesundheit
Rauchen Sie? Wachen Sie in der Nacht oft auf? Essen Sie viel? Sind Sie oft unterwegs? Was sind Sie von Beruf? Haben Sie Appetit? Spielen Sie Tennis? Wie viel rauchen Sie? Wie fühlen Sie sich? Haben Sie Probleme beim Einschlafen? Funktioniert die Verdauung? Wie viele Zigaretten rauchen Sie pro Tag? Wie schwer sind Sie? Treiben Sie Sport? Schlafen Sie gut? Was essen Sie gern? Wo arbeiten Sie? Wie oft joggen Sie pro Woche? Hat jemand in der Familie Asthma?

Lernen mit Bewegung

Übungen gegen Rückenschmerzen: Sie können die Übungen überall machen, zu Hause, im Büro oder auch in der Schule. Sie brauchen dazu nur einen Stuhl.

A 11

a) Hören Sie. Welches Bild passt?

1: Bild _____
2: Bild _____

b) Hören Sie und machen Sie mit.
c) Kennen Sie andere Fitness-Übungen? Spielen Sie vor.

→ Ü 12 – 13

1 Stellen Sie sich hinter den Stuhl. Der Rücken ist gerade. Wenn Sie hinter dem Stuhl stehen, dann legen Sie die Hände auf den Stuhl.
Gehen Sie jetzt in die Knie – der Rücken bleibt gerade und die Hände liegen auf dem Stuhl.

Und jetzt stehen Sie wieder auf. Die Hände bleiben auf dem Stuhl. Und der Rücken bleibt gerade. Und dazu regelmäßig atmen.
Einatmen – ausatmen – einatmen – ausatmen – einatmen ...

2 Setzen Sie sich auf den Stuhl. Wenn Sie jetzt auf dem Stuhl sitzen, ist der Rücken gerade, die Beine sind entspannt und die Füße sind auf dem Boden. Und jetzt legen Sie bitte die Hände auf die Knie.

Und jetzt stehen Sie langsam auf. Der Körper geht nach vorne und die Hände liegen auf den Knien. Der Rücken bleibt gerade. Und jetzt setzten Sie sich wieder und die Hände bleiben immer auf den Knien.

Lernkärtchen

Wohin?

1 Wohin?
zum Arzt gehen
Ich gehe zum Arzt.

5 Wohin?
in die Apotheke gehen

2 Wohin?
nach Hause gehen

6 Wohin?
sich ins Bett legen

3 Wohin?
sich vor den Fernseher setzen

7 Wohin?
ins Krankenhaus fahren

4 Wohin?
in die Schule gehen

8 Wohin?
sich auf den Stuhl setzen

Wo?

A Wo?
beim Arzt sein
Ich bin beim Arzt.

E Wo?
im Bett liegen

B Wo?
vor dem Fernseher sitzen

F Wo?
in der Apotheke einkaufen

C Wo?
auf dem Stuhl sitzen

G Wo?
in der Schule lernen

D Wo?
zu Hause sein

H Wo?
Im Krankenhaus liegen

A 12

a) Ordnen Sie die Kärtchen zu.
b) Schreiben Sie Beispielsätze.
c) Schreiben Sie neue „Wohin-Wo-Kärtchen".

→ Ü 14

Körper und Gesicht

A 13
a) Verbinden Sie die Wörter mit der Figur.
b) Lesen Sie die Wörter halblaut im Kreis und notieren Sie den Plural.

→ Ü 15

2.52 c) Hören Sie und malen Sie ein Gesicht.

der Kopf

das Gesicht   der Hals

das Auge   der Rücken

die Nase   die Brust

                                        der Bauch

der Mund   der Arm

die Lippen   die Hand

das Ohr   der Finger

                                        das Bein

der Zahn   das Knie

                                        der Fuß

das Haar / die Haare   das Herz

Tätigkeiten

A 14
a) Welche Verben passen?
b) Vergleichen Sie.
c) Spielen Sie und raten Sie.

→ Ü 16

essen • trinken • diskutieren • lachen • sehen • hören • anfassen • schmecken • probieren stehen • aufstehen • gehen • geben • bringen • tragen • drücken • zuhören • sehen putzen • schneiden • lesen • schreiben • rauchen • zumachen • aufmachen • küssen husten • zeigen • riechen • atmen • singen • tanzen • fühlen • springen

Konsonant: h

[h] —— **H**als

A 15 · 2.53
a) Wo hören Sie [h]?
Markieren Sie.
b) Sprechen Sie.

bis**h**er se**h**r **h**elfen **h**eiß be**h**alten zu**h**ören **H**autprobleme **h**aben O**h**renschmerzen

es tut we**h** **H**usten **h**aben das ge**h**t vorbei empfe**h**len Tee mit **H**onig trinken

haben / **H**usten / **H**als	Ich habe Husten und mein Hals tut auch weh. ↘
Honig / **h**eiß	Ich trinke viel Tee mit Honig. ↘ Der Tee muss sehr heiß sein. ↘
hast / ge**h**abt / **H**usten	Was hast du genau gehabt? ↗ Grippe mit Fieber und Husten? ↗

A 16 · 2.54
Sprechen Sie nach.

Vokalneueinsatz

A 17 · 2.55
Sprechen Sie nach.

um‿drei	um	eins
um‿sieben	um	acht
um‿neun	um	elf

Sie lesen/schreiben:	Sie hören/sprechen:	
um **a**cht, halb **e**lf	um	**a**cht, halb	**e**lf	Man spricht den Vokal „neu".
ein**a**tmen	ein|**a**tmen	

Am	Anfang	Am Anfang hatte er nur Halsschmerzen. ↘
Am	Abend	Am Abend hatte er Ohrenschmerzen. ↘
zum	Arzt gehen	Adrian Knupp geht zum Arzt. ↘
Um	acht	Um acht hat er einen Termin. ↘
Um	elf	Um elf liegt er im Bett. ↘

A 18 · 2.56
Sprechen Sie nach.

Konsonantenverbindungen

A 19 · 2.57
Sprechen Sie nach.

[ls]	Hal**sw**eh	Adran Knupp hat Halsweh. ↘
[pfʃm]	Ko**pfschm**erzen	Er hat auch Kopfschmerzen. ↘
[stʃl]	sieh**st schl**echt	Du siehst schlecht aus. ↘
[rtst]	Schme**rzt**ablette	Haben Sie eine Schmerztablette? ↗

Schwierige Wörter aussprechen

A 20 · 2.58
Sprechen Sie
langsam/schnell.

zum Arzt ↘	wirklich zum Arzt ↘	Du musst wirklich zum Arzt. ↘
halb elf ↘	um halb elf ↘	Er kommt um halb elf. ↘
Kopfschmerzen ↘	gegen Kopfschmerzen ↘	Das hilft gegen Kopfschmerzen. ↘

Über Vergangenes sprechen: Präteritum Modalverben

A 21

a) Markieren Sie die Modalverben und die Formen von „haben".

b) Ergänzen Sie die Tabelle.

→ Ü 17 – 18

Adrian Knupp wollte zu Hause bleiben, aber er musste ins Büro gehen. Er hatte sehr viel Arbeit.
Im Büro konnte er nicht arbeiten. Er hatte Kopfschmerzen.
Am Abend erzählt er seiner Frau: „Beim Arzt musste ich eine halbe Stunde warten."

Modalverben: Präteritum

	können	müssen	wollen
ich	konn t -e	_____	woll t -e
er/es/sie	_____	_____	woll t -e
	konn t -	muss t -	woll t -

Verb: haben

haben
hatt -e
_____
hatt -

Verben mit Reflexivpronomen

A 22

a) Was ist das Subjekt in den Sätzen mit Reflexivpronomen? Zeichnen und schreiben Sie.

→ Ü 19

Am Morgen:
● Du siehst schlecht aus, Adrian. Willst du dich nicht hinlegen?

Im Büro:
Adrian Knupp geht ins Büro, aber er kann sich nicht konzentrieren.

Beim Arzt:
○ Ich fühle mich schwach.

● Aha. Setzen Sie sich bitte hier auf den Stuhl.

Am Telefon:
○ Wann kannst du wieder arbeiten? Wann sehen wir uns?

Subjekt – Reflexivpronomen

du – dich

_____ – sich

_____ – mich

_____ – sich

_____ – uns

Personalpronomen

Nominativ	ich	du	er	es	sie	wir	ihr	sie	Sie
Akkusativ	mich	dich	ihn	es	sie	uns	euch	sie	Sie

Reflexivpronomen

b) Ergänzen Sie die Tabelle.

Akkusativ	____	____	_____	____	*euch*	*sich*	*sich*

Regel

Reflexivpronomen: Form

Ergänzen Sie.

Die Formen von Reflexivpronomen und _____ sind im Akkusativ gleich.

⚠ Ausnahme: „_____" (3. Person und „Sie"-Anrede)

Wechselpräpositionen mit Dativ oder Akkusativ

| **Wohin** gehen Sie? ⟩ | In den Kurs.
Ins Büro.
In die Schule. | **Wo**
sind Sie
jetzt? | Im Kurs.
Im Büro.
In der Schule. | in das → **ins** Büro
in dem → **im** Kurs
an dem → **am** Tisch | **A 23**
Markieren Sie
die Präpositionen. |

| Wechselpräpositionen:
Richtung / Bewegung

„in" mit ⟶ | | Position / Ruhe

„in" mit ◯ | **Regel**
Ergänzen Sie
„Akkusativ"
oder „Dativ". |

Michael wohnt am Stadtrand. Er arbeitet viel im Büro und sitzt lange am Schreibtisch. Der Weg ins Büro ist nicht weit. Er hat oft Rückenschmerzen. In seinem Büro hängt jetzt ein Plakat an der Wand. Auf dem Plakat sind Übungen gegen Rückenschmerzen, z.B.:
„Stellen Sie sich hinter den Stuhl. Wenn Sie hinter dem Stuhl stehen, legen Sie die Hände auf den Stuhl. Gehen Sie jetzt in die Knie – die Hände bleiben auf dem Stuhl."

A 24
a) Markieren Sie
Präpositionen
und Artikelwörter.

Wechselpräpositionen mit Dativ oder Akkusativ: _____

b) Ergänzen Sie.

→ Ü 20 – 21

Satz: Nebensatz mit „wenn"

Die Leute gehen zum Arzt,
wenn sie Schmerzen haben.
Erwachsene gehen zum Arzt,
wenn sie eine Grippe haben.

Wenn sie Schmerzen haben,
gehen die Leute zum Arzt.
Wenn sie eine Grippe haben,
gehen Erwachsene zum Arzt.

A 25
a) Lesen Sie.
Markieren Sie
die Verben.

Hauptsatz vor Nebensatz

Hauptsatz	Nebensatz		
Die Leute (gehen) zum Arzt, ⌐ wenn ⌐	sie	Schmerzen	(haben).

   Subjunktor   **Verb**

b) Ergänzen Sie
die Sätze.

→ Ü 22

Nebensatz vor Hauptsatz

Nebensatz			Hauptsatz
Wenn ⌐ sie	Schmerzen	(haben),	(gehen) die Leute zum Arzt.

Subjunktor   **Verb**

| Nebensatz mit „wenn"

Der Nebensatz beginnt mit dem Subjunktor „_____ ", das _____ steht am Ende.

Nebensatz vor Hauptsatz: Der Hauptsatz beginnt mit dem _____. | **Regel**
Ergänzen Sie. |

Kleidung

Kleider machen Leute

A 1
Über Kleidung sprechen
a) Lesen Sie und notieren Sie Kleidungsstücke.
b) Sortieren Sie:

Beruf / Freizeit

→ Ü 1

Carsten S., 28, Elektriker

Ich ziehe mich sportlich an: Jeans oder eine bequeme Hose, Hemd, Pullover und Sakko – ich mag bequeme Kleidung. Die Sachen müssen natürlich sauber und ordentlich sein! Anzüge trage ich selten, nur mal zu einer Feier oder zu einem Termin. In meiner Freizeit trage ich gerne Sportkleidung: Einen Jogginganzug, T-Shirt und Turnschuhe.

Anne K., 35, Geschäftsfrau

Bei der Arbeit trage ich fast immer einen Rock, eine schicke Bluse und eine Jacke, die dazu passt. Aber auch in meiner Freizeit trage ich gerne schöne Kleider! Jeans und T-Shirts mag ich nicht. Das ist mir zu lässig und sieht nicht gut aus. Da ziehe ich lieber ein modisches Kleid an.

Uwe P., 23, Student

Ich ziehe an, was mir gefällt! Und ich gebe nicht viel Geld für Kleidung aus. Bei Jeans, T-Shirts und Pullovern kaufe ich nur Sonderangebote. Und wenn ich mal eine Regenjacke oder einen Mantel brauche, gehe ich in einen Second-Hand-Laden. Da ist es billig. Mode interessiert mich nicht. „Kleider machen Leute", so ein Quatsch!

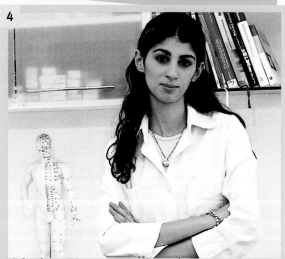

Aishe T., 31, Ärztin

Bei mir ist ein großer Unterschied zwischen Berufs- und Freizeitkleidung. Ich bin Ärztin und im Krankenhaus trage ich nur weiße Kleidung: weiße Hose, weiße Bluse, weiße Schuhe und einen weißen Mantel. Da erkennen mich manchmal sogar meine Freunde nicht. Privat bin ich ganz anders angezogen. Ich mag leichte, lockere Sachen, und gerne bunt!

A 2
a) Was tragen Sie (nicht) gerne?
b) Beschreiben Sie eine Person. Die anderen raten.

→ Ü 2 – 3

In der Boutique

● Sieh mal, der Rock!
○ Welcher, der grüne?
● Nein, der rote! Meinst du, der steht mir?
○ Bestimmt!
● Aber der passt doch nicht zu den bunten T-Shirts.
○ Stimmt, da hast du Recht.
● Und das Kleid?
○ Welches?
● Das lange schwarze!
○ Ich weiß nicht. Es ist ein bisschen zu brav.
● Also, ich find das echt gut!
■ Kann ich euch helfen?
○ Danke, wir möchten uns nur umsehen.

A 3
Einkaufsgespräche führen
a) Kennen Sie die Situation? Hören und lesen Sie.
b) Spielen Sie.

→ Ü 4 – 5

Im Kaufhaus: Herren-Oberbekleidung

● Guten Tag, kann ich Ihnen helfen?
○ Guten Tag. Ich möchte den Anzug aus dem Schaufenster anprobieren.
● Welchen meinen Sie? Den grauen oder den braunen?
○ Den braunen.
● Welche Größe?
○ 52, ich glaube, ich habe Größe 52.
  Wo kann ich den Anzug anprobieren?
● Da drüben in der Kabine ...
○ Moment mal. Ich probiere lieber mal die Hose hier an und das Hemd und den grünen Pullover ...

A 4
a) Wie kaufen Sie Kleidung? Hören und lesen Sie.
b) Spielen Sie.

→ Ü 6 – 7

Über Kleidung sprechen

Wie findest du die Bluse?
Was trägst du gerne?
Bei der Arbeit trage ich ... .

Die sieht sehr hübsch aus! Toll!
In der Freizeit trage ich gerne ... .
Das steht dir gut!

Kleidung kaufen

Kann ich Ihnen helfen?

Welche Größe haben Sie?

Danke, ich möchte mich nur umsehen.
Haben Sie den Pullover auch in Grün?
Ich suche XL.
Ich habe Größe 52.

Früher – heute

A 5

Über Mode sprechen
a) Bild und Text:
Was passt?
b) Lesen Sie und
notieren Sie
Stichpunkte.
c) Vergleichen Sie.

➜ Ü 8 – 9

1
Als Kind habe ich immer Latzhosen angezogen. Und meine Mutter hat mir Pullover geschenkt, aus Wolle und ganz bunt. Bei uns in der Familie haben alle Birkenstock-Schuhe getragen: Bequem und gesund. Ich wollte lieber Turnschuhe tragen: Adidas oder Puma. Mit 14 habe ich meine Kleider selbst ausgesucht. „Jetzt bist du kein Kind mehr", hat mein Vater gesagt. Aber elegante Hosen und modische Hemden hat er mir trotzdem nicht gekauft. Und ich war doch ein Mode-Fan: Lagerfeld, Armani, Boss!

Mit 20 bin ich dann von zu Hause ausgezogen. Ich habe gejobbt und mir meinen ersten Anzug gekauft – von Armani! Endlich! Mein Musikgeschmack hat sich auch geändert. Statt Jimi Hendrix und Rolling Stones habe ich Bach und Vivaldi gehört.
Heute trage ich im Büro Anzüge und zu Hause Jeans. Und meine Kinder dürfen ihre Kleider selbst aussuchen!
Jonathan Schreitmeier, Programmierer

2
Mein erster Minirock war für meine Eltern ein Schock. „Gehst du zum Karneval?", hat meine Mutter gefragt. In der Schule habe ich ihn nie angezogen. Dabei habe ich mir den Rock von meinem eigenen Geld gekauft! Mit 16 war ich „Raver", d.h. meine Haare waren rot oder grün, meine Kleidung ziemlich ausgeflippt. Deshalb hat es bei uns zu Hause immer Streit gegeben: Meine Musik war zu laut, meine Kleidung zu bunt und meine Freunde waren zu schmutzig.

Heute bin ich wieder ganz normal und meine Tochter darf verrückte Kleider anziehen. Manchmal zieht sie sogar meine Sachen an. Und wir hören zusammen Hiphop oder meine alten CDs.
Sieglinde Krüger, Lehrerin

A 6
a) Ist Mode für
Sie wichtig?
b) Was trägt man
bei Ihnen?

Freizeit
Beruf
Sonntag

➜ Ü 10 – 11

Über Mode sprechen

Wie wichtig ist für Sie Mode?	Mode interessiert mich.
Was musstest du früher anziehen?	Als Kind musste ich ...
Was hast du als Kind angezogen?	Meine Mutter hat mir ... gekauft.
Was wolltest du gerne anziehen?	Ich wollte lieber ...
Wie war das bei dir?	Als Kind habe ich ...
	Später ....
	Mit 14 .....
	Heute ....

Tests

Ich mache gerne Tests und Prüfungen. Ich will zeigen, was ich gelernt habe. Ich kann mich dann auch mit den anderen vergleichen.　*Martha, 18, Lodz*

Ich mache nicht gerne Tests. Das ist Stress für mich. Ich vergesse immer alles. Ich lerne nicht für die Note. Ich lerne für mich.　*Carlos, 35, Valencia*

A 7

Was trifft für Sie zu?
Vergleichen Sie.

→ Ü 12

Hören testen

1 Welchen Anzug probiert Herr Kurz an?

a den grauen

b den dreiteiligen

c den grauen im Sonderangebot

A 8

a) Sie hören die Texte zweimal. Kreuzen Sie an.
b) Was war leicht? Was war schwer? Vergleichen Sie.

→ Ü 13

2 Welche Bluse empfiehlt Rosanna?

a die karierte Bluse

b die gestreifte Bluse

c die einfarbige helle Bluse

Lesen testen

1 Vor dem Restaurant

> Wir sind in den Ferien:
> 5. Juli – 28. Juli
> Wiedereröffnung am 31. Juli
> Schöne Ferien!

Sie können am 30. Juli hier Ihren Geburtstag feiern.

| richtig | falsch |

2 Im Bahnhof

> Die Züge nach Mannheim fahren heute wegen Streik nicht. Informieren Sie sich bitte am Schalter – Ihre Bahn

Sie können heute nicht nach Mannheim fahren.

| richtig | falsch |

3 An der Tür von einem Modegeschäft

> *Heute geschlossen.*
> *Ab morgen Sonderverkauf*

In dem Geschäft sind die Kleider ab heute billiger.

| richtig | falsch |

4 Deutsch lernen mit dem Computer

> Der Computerraum steht Ihnen Montag und Dienstag Vormittag, Mittwoch von 8 – 18 Uhr und Donnerstag und Freitag am Nachmittag zur Verfügung.

Am Mittwochnachmittag kann man mit dem Computer lernen.

| richtig | falsch |

A 9

a) Richtig oder falsch? Kreuzen Sie an.
b) Was war schwer? Was war leicht? Vergleichen Sie.

→ Ü 14

5 Menüplan

> *Menü A*
> Schweinebraten
> mit Bratkartoffeln
>
> *Menü B*
> Lasagne
> (mit Hackfleisch)
>
> *Menü C*
> Frühlings-Gemüseteller

Es gibt kein Menü für Vegetarier.

| richtig | falsch |

Kleidung

A10
a) Ordnen Sie zu.
b) Lesen Sie die Wörter laut.

die Badehose, das T-Shirt, der Rock, das Kleid, die Bluse, der Pullover, die Unterhose, der Bikini

A 11
a) Was trägt „Er", was trägt „Sie"?
b) Was tragen die Personen noch?

Freizeit
Fest

→ Ü 15 – 17

bunt • *hübsch* • modern
nett • sauber • blau
gelb • schön • sportlich
dunkel • *schick* • eng
schwarz • einfarbig
kariert • gestreift • hell

der Anzug • die Hose
das Hemd • die Socke/n
der Hut • die Lederjacke
der Schirm • das Paar Schuhe
der Mantel • der Handschuh
der Strumpf

Koffer packen

2.63

A 12
„Koffer packen":
Was nehmen Sie auf die Reise mit?
Hören Sie und spielen Sie.

● Ich packe einen Pullover ein.
○ Ich packe einen Pullover und ein T-Shirt ein.
■ Ich packe einen Pullover und ein T-Shirt und warme Strümpfe ein.
□ Ich packe einen Pullover und warme Strümpfe und ...
● Falsch! Du bist raus!

Konsonant: ch

[ç] ⟨ welche / wichtig

[x] —— machen

A 13 2.64
a) Wann hören Sie [ç]?
Markieren Sie.
b) Sprechen Sie.

sportli**ch**   wel**ch**e   wichti**g**   Sa**ch**en   man**ch**mal   se**ch**zehn

bill**ig**   ma**ch**en   i**ch** mö**ch**te   au**ch**   endli**ch**   aussu**ch**en   do**ch**   mi**ch**

Sie lesen/schreiben:	Sie hören/sprechen:	
Sa**ch**en, **doch**, aussu**ch**en, **auch**	[x]	a, o, u, au + ch
ich, mö**ch**ten, se**ch**zehn, man**ch**mal...	[ç]	i, e, ö, l, n, r + ch
bill**ig**, wicht**ig**	[ç]	-ig

ich / mich / sportlich /   Ich ziehe mich gerne sportlich an. ↘

ich / möchte / sechzig   Ich möchte nur sechzig Euro ausgeben. ↘

Sachen / auch / aussuchen   Anne will ihre Sachen auch selbst aussuchen. ↘

A 14 2.65
Sprechen Sie nach.

Satzakzent

Ich ziehe gerne Hosen an. ↘   Aber die gefällt mir überhaupt nicht. ↘

Der Rock ist zu kurz. ↘   Ich probiere lieber mal den hier an. ↘

Den Anzug finde ich gut. ↘   Den kann ich auch bei der Arbeit anziehen. ↘

Wie findest du das T-Shirt? ↘   Das rote ist zu klein, aber das passt genau. ↘

A 15 2.66
Sprechen Sie nach,
mit viel Emotion!

Dialoge sprechen

● Sieh mal, der Rock! ↘

○ Welcher, der grüne? ↗

● Nein, der rote! ↘ Meinst du, der steht mir? ↗

○ Bestimmt! ↘ Der sieht super aus!! ↘

● Aber der passt nicht zu den bunten T-Shirts. ↘

A 16 2.67
a) Lesen Sie
halblaut mit.
b) Sprechen Sie mit
dem Partner / der
Partnerin.

Adjektive: prädikativ und attributiv

A 17

a) Hat das Adjektiv eine Endung? Kreuzen Sie an.

➜ Ü 18 – 19

b) *Ihre* Sprache: Vergleichen Sie.

Endung?

Der Rock ist grün.

Die Jacke ist billig.

Das Kleid ist schwarz.

Der Anzug ist grau. ☐ ja ☐ nein

Endung?

Hier ist der grüne Rock.

Das ist die billige Jacke.

Wo ist das schwarze Kleid?

Was kostet der graue Anzug? ☐ ja ☐ nein

Regel — **Adjektiv-Endungen**

Ergänzen Sie „eine" oder „keine".

„sein" + Adjektiv:

Das Adjektiv hat _____ Endung.

Adjektiv + Substantiv:

Das Adjektiv hat _____ Endung.

Adjektive: Deklination nach bestimmtem Artikel („der", „das", „die")

A 18

a) Markieren Sie die bestimmten Artikel und die Adjektiv-Endungen.

➜ Ü 20

Nominativ

● Sieh mal, der grüne Rock! Meinst du, der steht mir?
○ Bestimmt!
● Und das schwarze Kleid?
○ Ich weiß nicht. Vielleicht ist die schwarze Hose besser?

Akkusativ

● Guten Tag. Ich möchte den grauen Anzug anprobieren.
○ Da drüben in der Kabine, bitte.
● Moment mal. Ich probiere lieber mal die graue Hose und das weiße Hemd ...
○ Gerne, ich bringe Ihnen die neuen Sachen.

b) Ergänzen Sie die Tabelle.

➜ Ü 21

Singular	maskulin	neutrum	feminin	Plural
Nominativ	*der grüne Rock*	das _____ Kleid	die _____ Hose	die neu**en** Sachen
Akkusativ	den _____ Anzug	das _____ Hemd	die _____ Hose	die _____ Sachen

Adjektive: Deklination nach unbestimmtem Artikel („ein", „eine")

A 19

a) Vergleichen Sie die Adjektiv-Endungen mit A 18b.

Akkusativ

Ich bin Ärztin und im Krankenhaus trage ich nur ☐ weiße Kleidung: eine weiße Hose, eine weiße Bluse, ☐ weiße Schuhe und einen weißen Mantel. Privat bin ich ganz anders angezogen. Ich mag ☐ leichte, ☐ lockere Sachen, und gerne ein buntes Kleid!

Adjektiv-Deklination im Akkusativ nach „ein", „ein", „eine"

maskulin:	Sie trägt den weißen Mantel.	Sie trägt *einen weißen* _____ Mantel.
neutrum:	Sie trägt da**s** bunte Kleid.	Sie trägt _____ _____ Kleid.
feminin:	Sie trägt die weiße Bluse.	Sie trägt _____ _____ Bluse.
Plural:	Sie trägt di**e** weißen Schuhe.	Sie trägt ☐ _____ Schuhe.

b) Ergänzen Sie
die Übersicht.

→ Ü 22

Fragen mit „welch-?"

A 3

● Sieh mal, der Rock!

○ *Welcher* , der grüne?

● Nein, _____ rote! ...

● Und das Kleid?

○ _____ ?

● _____ lange schwarze!

A 4

○ Ich möchte den Anzug aus dem
Schaufenster anprobieren.

● _____ meinen Sie? ...

○ _____ braunen.

● _____ Größe?

...

A 20

a) Hören Sie
A 3 und A 4.
Ergänzen Sie.

→ Ü 23

„welch-?"

Singular	maskulin	neutrum	feminin	Plural
Nominativ	der Rock	das Kleid	die Größe	die Kleider
	_____ Rock?	_____ Kleid?	_____ Größe?	welche Kleider?
Akkusativ	den Anzug	das Kleid	die Größe	die Kleider
	_____ Anzug?	welches Kleid?	welche Größe?	welche Kleider?

b) Ergänzen Sie
die Tabelle.

Fragen mit „welch-?"

Mit „welch-?" fragt man nach bekannten Dingen/Personen.

→ Antwort mit „_____", „_____", „_____" + Adjektiv.

Beispiel:

Welche Hose kaufst du? → **Die** graue.

Regel

Ergänzen Sie.

Die vier Jahreszeiten

A 1
Informationen in Texten und Bildern suchen
Sehen Sie die Fotos an und ordnen Sie zu: Welcher Text passt?

Der Frühling

Der Sommer

A 2
a) Welcher Text gefällt Ihnen?
b) Sammeln Sie Wörter in den Texten:

> Wetter
> Landschaft
> Aktivitäten

→ Ü 1 – 2

1

Schweiz aktuell

Die Jungfrau-Top-Ski-Region besteht aus den Skigebieten Mürren-Schilthorn, Kleine Scheidegg-Männlichen und First. 45 moderne Liftanlagen, 213 präparierte Pistenkilometer, 100 km Wanderwege erwarten Sie in diesem einzigartigen Ski- und Snowboardparadies.
Der regionale Skipass Jungfrau-Top-Ski-Region bietet Ski- und Snowboardfahren auf allen Anlagen der Region.

2

Europäischer Fernwanderweg E5 Nord

Eine Wanderung quer durch die Alpen. Über herrliche Almen und durch schöne Wälder, über hohe Berge und durch die große Gletscherwelt. Wir starten in Oberstdorf, wandern durch die Allgäuer Berge nach Österreich in Richtung Lechtal. Die zweite Etappe führt durch das Pitztal zu den Ötztaler Alpen. An der Wildspitze vorbei, dem höchsten Berg Tirols, gehen wir Richtung Südtirol.
Termine
27.07. – 02.08.
14.09. – 20.09.

3

Sonntag in Graz, das Wetter ist regnerisch und kühl. Typisch für die Jahreszeit. Gestern waren wir in einer Fotoausstellung „Frauen in Europa". Super! Vorgestern auf der Burg Rabenstein, die Ausstellung war langweilig. Dann haben wir noch beim „Mohrenwirt" ein „Hühnerschnitzel" gegessen. Ein heißer Tipp: gut und günstig. – Jetzt sitzen wir im Zug nach Wien. Noch 2 Stunden, dann sind wir da. Wien Süd. Ich freue mich.

4

Ich muss hinaus, ich muss zu dir,
Ich muss es selbst dir sagen:
Du bist mein Frühling, du nur mir
In diesen lichten Tagen.

Ich will hinaus, ich will zu dir,
Ich will es selbst dir sagen:
Du bist mein Frühling, du nur mir
In diesen lichten Tagen.

August Heinrich Hoffmann von Fallersleben

(1798–1874)

A 3
Suchen Sie Bilder und Fotos mit Landschaften im Lehrbuch. Vergleichen Sie.

→ Ü 3

Der Herbst

Der Winter

Sonne, Regen, Blitz und Donner

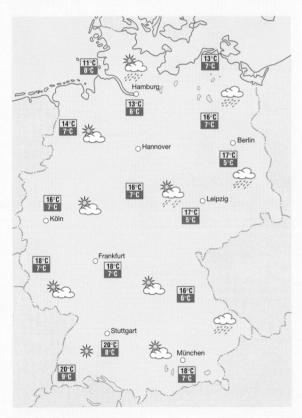

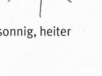

sonnig, heiter

wolkig

stark bewölkt

Regen

Regenschauer

Gewitter

Nebel

Schneefall

A 4  2.68

Die Wettervorhersage verstehen

a) Hören Sie. Welche Vorhersage passt zu welcher Karte?

b) Was hören Sie? Markieren Sie.

c) Der, die, das …? Schlagen Sie die Substantive im Wörterbuch nach.

→ Ü 4 – 7

Der Jahreszeiten-Maler

2.71

A 5
Lieder verstehen
a) Hören Sie und
lesen Sie mit.
b) Hören Sie
und notieren Sie
Stichwörter.

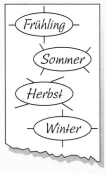

Frühling
Sommer
Herbst
Winter

→ Ü 8

c) Singen Sie mit.

→ Ü 9 – 10

A 6
a) Welche Lieder
kennen Sie in
Ihrer Sprache?
b) Was ist das Thema?
Machen Sie einen
Wortigel auf Deutsch
und erzählen Sie.

Den Frühling mal ich grün,
lass meine Blumen blüh'n.
Zu Ostern mal ich dir ein Ei,
und wenn du lieb bist, sogar drei!

Bei uns spinnt der April,
er weiß nicht, was er will.
Ich mal ihn mir kariert,
egal was dann passiert!

Den Sommer mal ich blau
wie die Augen meiner Frau.
Ihr wird's dann oft zu heiß,
dann mal ich Wolken, weiß!

Kommt zu uns im August!
Habt ihr keine Lust?
Packt einfach eure Sachen,
wir können so viel machen!

Den Herbst, den mal ich bunt.
Das Jahr wird jetzt fast rund.
Gefällt Ihnen mein Bild –
Sie finden es zu wild?

Mein Oktober, der ist rot,
und dein November – grau?
Die Bäume stehen da, wie tot,
am Boden liegt der Tau.

Wie malt man Schnee,
wie malt man Eis?
Den Winter mal ich kalt
und weiß.

Das sind unsere Jahreszeiten,
und wie ist das bei Ihnen?
Wenn es noch schneit in unsern Breiten,
blüh'n eure Apfelsinen.

Spiel: Was Sie schon immer wissen wollten ...

START ▶ ZIEL A1	EINKAUFEN ❶	SPRACHEN ❷	MODE UND KLEIDER ❸	A 7

START ▶ ZIEL A1

Würfeln Sie noch einmal.
1 Punkt

EINKAUFEN
Was haben Sie gestern oder vorgestern eingekauft?
3 Punkte

SPRACHEN
Welche Fremdsprachen sprechen Sie?
1 Punkt

MODE UND KLEIDER
Welche Kleider tragen Sie (gar nicht) gerne?
2 Punkte

A 7
a) Würfeln und antworten Sie.
b) Stellen Sie als Zuhörer/in dem Partner / der Partnerin eine Frage zum Thema.
c) Bewerten Sie in der Gruppe und notieren Sie die Punktzahl.

→ **Schlusstest**

ESSEN UND TRINKEN ⑰
Was trinken Sie nie?
1 Punkt

ERZÄHL MIR ETWAS ÜBER ...

Regeln
Alle beginnen im Feld START.
Würfeln Sie und beantworten Sie die Frage auf dem Feld.

Bewerten Sie die Antwort und notieren Sie die Punktzahl.
Für eine korrekte Antwort gibt es 1 Punkt.

Wer zuerst **20 Punkte** hat, ist Sieger oder Siegerin.

Oder:

Wenn der erste Spieler / die erste Spielerin **3-mal über das Feld** START/ZIEL gekommen ist, ist das Spiel zu Ende.
Wer dann die meisten Punkte hat, ist Sieger oder Siegerin.

Gratulation!

ZUR PERSON
Wo wohnen Sie?
Wie ist Ihre E-mail-Adresse oder Telefonnummer?
1 Punkt

ESSEN UND TRINKEN ⑯
Was isst man bei Ihnen?
2 Punkte

ZUR PERSON ❺
Wie ist Ihr Name?
Buchstabieren Sie Ihren Namen auf Deutsch.
3 Punkte

WOHNEN ⑮
Wo möchten Sie wohnen: In einemTurm oder am Meer?
4 Punkte

ARBEIT
Wo arbeiten Sie?
1 Punkt

REISEN UND URLAUB ⑭
Wohin wollen Sie das nächste Mal in Ferien fahren?
3 Punkte

JOKER ❼
Geben Sie den Würfel einem Partner oder einer Partnerin weiter.
3 Punkte

ARBEIT ⑬
Was machen Sie an Ihrem Arbeitsplatz?
3 Punkte

LIEBLINGSMUSIK ❽
Welche Musik hören Sie gerne?
2 Punkte

ESSEN UND TRINKEN ⑫
Was essen Sie im Sommer?
2 Punkte

TAGESABLAUF ⑪
Was haben Sie letztes Wochenende gemacht?
4 Punkte

KOCHEN ❿
Was kochen Sie gerne?
2 Punkte

LERNEN ❾
Was hat Ihnen im Kurs gefallen?
3 Punkte

Das Vokal-Viereck

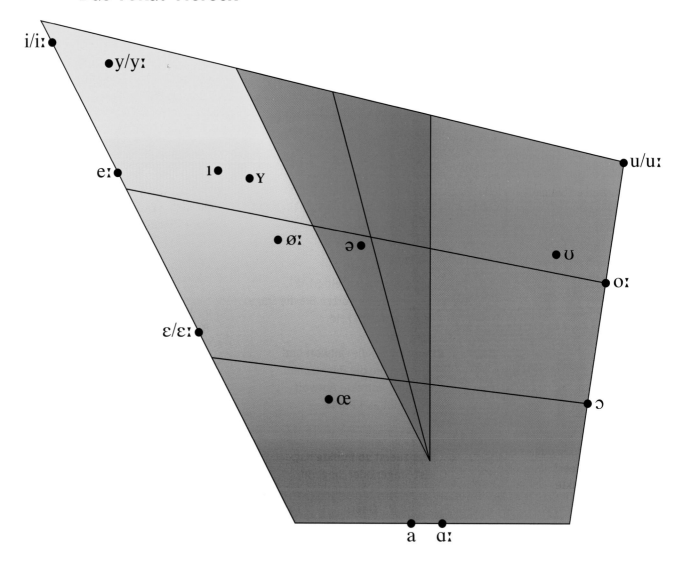

Das Vokal-Viereck „im Mund"

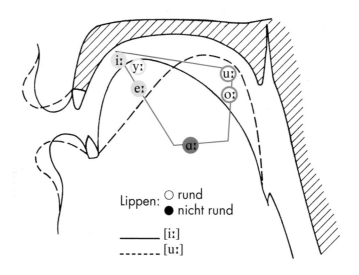

Lippen: ○ rund
● nicht rund

―――― [iː]
- - - - - [uː]

Die Beziehung von Buchstaben und Lauten im Deutschen

Buchstabe(n)	Laut(e)	Beispiele
a aa ah	[aː]	N**a**me, St**aa**t, Z**ah**l
a	[a]	d**a**nke
ä äh	[ɛː]	K**ä**se, z**äh**len
ä	[ɛ]	S**ä**tze
äu	[ɔy]	H**äu**ser
ai	[ai]	M**ai**
au	[au]	P**au**se
b bb	[b]	**B**uch, Ho**bb**y
-b	[p]	Ver**b**
ch	[ç]	i**ch**, mö**ch**ten
	[x]	Bu**ch**, ko**ch**en
-chs	[ks]	se**chs**
d	[d]	**D**ialog
-d	[t]	un**d**
-dt	[t]	Sta**dt**
e ee eh	[eː]	l**e**sen, T**ee**, s**e**hr
e	[ɛ]	F**e**st, **e**ssen
-e	[ə]	dank**e** (unbetont)
ei	[ai]	S**ei**te,
-er	[ɐ]	Butt**er**
eu	[ɔy]	h**eu**te
f ff	[f]	**f**ahren, Ka**ff**ee
g	[g]	**g**ut
-g	[k]	Ta**g**
h	[h]	**H**aus
i ie ieh	[iː]	K**i**no, s**ie**ben, (er) s**ieh**t
i	[ɪ]	b**i**tte
-ig	[ɪç]	fert**ig**
j	[j]	**j**a
k ck	[k]	**K**uchen, Bä**ck**erei
l ll	[l]	**l**eben, wo**ll**en

Buchstabe(n)	Laut(e)	Beispiele
m mm	[m]	**M**ontag, ko**mm**en
n nn	[n]	**N**ame, kö**nn**en
o oh	[oː]	**o**der, w**o**hnen, Z**oo**
o	[ɔ]	k**o**mmen
ö öh	[øː]	h**ö**ren, fr**öh**lich
ö	[œ]	m**ö**chten
p pp	[p]	**P**ause, Gru**pp**e
ph	[f]	Al**ph**abet
qu	[kv]	be**qu**em
r rh rr	[r]	**r**ichtig, **Rh**ythmus, He**rr**
s ss	[s]	Hau**s**, Ka**ss**ette
	[z]	**s**ehr, zu**s**ammen
sch	[ʃ]	**Sch**rank
sp	[ʃp]	**sp**rechen
st-	[ʃt]	**St**adt, be**st**ellen
ß	[s]	hei**ß**en
t tt th	[t]	**T**ür, bi**tt**e, **Th**eater
-t(ion)	[ts]	Informa**t**ion
u uh	[uː]	J**u**ni, **U**hr
u	[ʊ]	A**u**gust
ü üh	[yː]	Fl**ü**gel, Fr**üh**stück
ü	[y]	f**ü**nf
v	[v]	**V**okal
	[f]	Nominati**v**, **v**ier
w	[v]	**W**asser
x	[ks]	Te**x**t
y	[yː]	T**y**p
y	[ʏ]	Rh**y**thmus
z	[ts]	be**z**ahlen, **z**u

Ausspracheregeln

A Vokale

Buchstaben	Aussprache	Beispiele
Sie lesen/schreiben:	Sie hören/sprechen:	
Vokal + Vokal Vokal + „h"	immer **lang**	*Staat, Tee, Zoo, sie* *Sahne, sehen, ihr, fühlen*
Vokal + Doppelkonsonant	immer **kurz**	*Gruppe, Bett, Zucker*
Vokal + mehr Konsonanten	meistens **kurz**	*Heft, März*

B Konsonanten

Buchstaben	Aussprache	Beispiele
Sie lesen/schreiben:	Sie hören/sprechen:	
-b -d -g -s -v	am Wort- und Silbenende [p] [t] [k] [s] [f]	*Ver-**b** [p], un-**d** [t], Zu-**g** [k], Kur-**s**\raum [s], positi-**v** [f]*
ch	[x] nach „a, o, u, au" [ç] nach allen anderen Vokalen [ç] nach „l, r, n" [ç] in der Endung „-ig"	*la**ch**en, do**ch**, Bu**ch**, au**ch*** *i**ch**, mö**ch**te, eu**ch*** *wel**ch**er, dur**ch**, man**ch**mal* *fert-**ig***
h	[h] am Wort- und Silbenanfang nicht nach langem Vokal	***H**aus, unter**h**alten* *se**h**en, ru**h**ig,*
r	[r] am Wort- und Silbenanfang [ɐ] in der Endung „-er" nach langen Vokalen und den Vorsilben „ver-, zer-, er-"	***r**ot, hö**r**en* *Partn-**er*** *Tü**r**, Uh**r**,* ***ver**\stehen, **zer**\stören, **er**\klären*
st sp	[ʃt] [ʃp] am Wort- und Silbenanfang	***St**adt, Aus**sp**rache*
v	[v] bei Fremdwörtern am Wort- und Silbenanfang	***V**ideo, **V**okal, Kla**v**ier*

Alphabetisches Wörterverzeichnis

Informationen zur Benutzung

Das Verzeichnis enthält alle Wörter aus den Kapiteln im Lehrbuch *Optimal*A1. Namen von Personen, geografische Namen und Sprachenbezeichnungen, Zahlwörter sowie grammatische Begriffe sind nicht enthalten. Aus authentischen Texten, v.a. auf der Seite „Training", sind nur die Wörter enthalten, die zur Lösung der Aufgaben notwendig sind.

Das Wörterverzeichnis bietet Ihnen folgende Informationen:

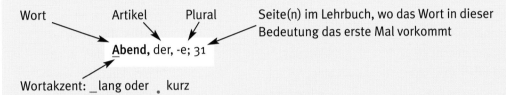

Wort   Artikel   Plural   Seite(n) im Lehrbuch, wo das Wort in dieser Bedeutung das erste Mal vorkommt

Abend, der, -e; 31

Wortakzent: _lang oder . kurz

Verben mit * sind unregelmäßig. Eine alphabetische Liste der unregelmäßigen Verben finden Sie auf S. 110f.

Fett gedruckte Wörter gehören zur Wortliste des Tests „Start Deutsch 1", der sich auf die Niveaustufe A1 bezieht.

A

ab; 40

Abend, der, -e; 31

Abendessen, das, -; 42

abends; 16

aber; 6

abfahren*; 30

Abfahrt, die; 56

abholen; 58

abräumen; 74

abwaschen*; 74

ach!; 15

achten; 49

Adresse, die, -n; 8

Adressliste, die, -n; 49

Ah!; 56

Aha!; 8

aktuell; 94

alle; 6

Allee, die, -n; 15

allein; 16

Alles Gute!; 72

alles; 31

Allgemeinzustand, der; 80

Alltag, der; 33

Alpen, die (Pl); 62

als; 25, 73

also; 41

alt; 16, 22

Alter, das; 22

Altstadt, die, "-e; 16

Ampel, die, -n; 58

an; 54

anbieten*; 40

anbrennen*; 71

andere; 33, 48

ändern (sich); 88

anders; 23

Anfang, der, "-e; 15

anfassen; 82

angehen*; 22

angenehm; 8

Angst, die, "-e; 80

anklicken; 50

ankommen*; 30

ankreuzen; 33

Ankunft, die; 14

Anleitung, die, -en; 79

anmelden; 15

Anmeldung, die, -en; 78

anprobieren; 87

anrufen*; 78

ansprechen*; 33

Antwort, die, -en; 20

antworten; 7

anziehen (sich)*; 86

Anzug, der, "-e; 86

Aperitif, der, -s; 70

Apfel, der, "-; 42

Apfelsaft, der; 38

Apfelsine, die, -n
(= Orange); 96

Apotheke, die, -n; 79

Apothekerin, die, -nen; 46

Appetit, der; 72

April, der; 23

Arbeit, die, -en; 30

arbeiten; 30

Arbeitgeber, der, -; 80

Arbeitskollege, der, -n; 70

arbeitslos; 32

Arbeitsplatz, der, "-e; 97

Arm, der, -e; 78

Artikel, der, -; 31

Arzt, der, "-e; 78

Ärztin, die, -en; 86

Arztbesuch, der, -e; 79

Asthma, das; 80

Atemwege, die (Pl); 80

atmen; 81

Atmung, die; 80

auch; 14

Auf dich!; 72

Auf Wiedersehen!; 31

auf; 15, 62

auflösen; 79

aufmachen; 82

aufnehmen*; 47

aufpassen; 48

aufstehen*; 30, 81

auftreten*; 24

aufwachen; 80

Alphabetisches Wörterverzeichnis

aufwachsen*; 63
Auge, das, -n; 80
August, der; 23
aus; 6, 64
ausatmen; 78
ausfallen*; 89
ausflippen; 88
Ausflug, der, "-e; 55
ausfüllen; 18
Ausgang, der, "-e; 14
ausgeben*; 86
ausgehen*; 63
Auskunft, die, "-e; 79
Ausland, das; 24
ausmachen; 31
ausschneiden*; 47
aussehen*; 78
Aussicht, die, -en; 54
Aussichtspunkt, der, -e; 62
Aussprache, die; 11
aussteigen*; 30
Ausstellung, die, -en; 16
aussuchen; 88
austauschen; 16
auswählen; 50
ausziehen (sich)*; 88
Auto, das, -s; 55
Autobahn, die, -en; 58

B

Bäckerei, die, -en; 39
Bad, das, "-er; 18
Badehose, die, -n; 90
baden; 58
Bahn, die; 89
Bahncard, die, -s; 56
Bahnhof, der, "-e; 14
Bahnsteig, der, -e; 58
bald; 31
Balkon, der, -e; 57
Ballett, das; 16
Ballettmusik, die; 22
Banane, die, -n; 42
Band, die, -s; 22

Bauch, der, "-e; 82
Bauernhaus, das, "-er; 63
Baum, der, "-e; 65
beachten; 79
Beach-Volleyball; 17
beantworten; 80
Becher, der, -; 42
bedanken (sich); 33
Bedarf, der; 79
bedeuten; 41
beenden; 50
Befehl, der, -e; 49
Befinden, das; 33
Beginn, der; 79
beginnen*; 15
begrüßen; 8
bei; 24
beide; 39
Bein, das, -e; 78
Beispiel, das, -e; 48
Beispielsatz, der, "-e; 81
bekannt; 16
Bekannte, der, die, -n; 64
bekommen*; 39
benutzen; 57
bequem; 86
Berg, der, -e; 94
berichten; 54
Beruf, der, -e; 34
Berufskleidung, die; 86
berühmt; 54
beschreiben*; 15
besonders; 62
besser; 72
Besserung, die; 79
bestellen; 38
Bestellung, die, -en; 34
bestimmt; 71
besuchen; 16, 46
Bett, das, -en; 79
Bewegung, die, -en; 80
bewerten; 97
bewölkt; 95
bezahlen; 38

Bier, das, -e; 70
Bikini, der, -s; 90
Bild, das, -er; 16
billig; 39
Bio-Frühstück, das; 38
Bis bald!; 31
bis; 15
bisschen; 9
Bistro, das, -s; 38
bitte; 14, 15
bitten*; 17
Blatt, das, "-er; 47
blau; 64
bleiben*; 15
Bleistift, der, -e; 24
Blitz, der, -e; 95
blühen; 96
Blume, die, -n; 70
Blumenstrauß, der, "-e; 72
Bluse, die, -n; 86
Boden, der, "-; 64
Boutique, die, -n; 87
brauchen; 15, 31
braun; 66
brav; 87
brechen*; 80
breit; 55, 63
bringen*; 70
Brot, das, -e; 39
Brötchen, das, -; 38
Brust, die, "-e; 82
Buch, das, "-er; 24
buchen; 54
Bücherregal, das, -e; 64
buchstabieren; 17
Büfett, das, -s; 40
Bühne, die, -n; 22
bunt; 86
Burg, die, -en; 94
Büro, das, -s; 30
Bus, der, -se; 34
Butter, die; 38

C

ca. (= circa); 73
Café, das, -s; 30
Cappuccino, der, -s; 38
CD, die, -s; 22
CD-Player, der, -; 50
CD-ROM, die, -s; 50
Cello, das; 26
Checkliste, die, -n; 80
Chef, der, -s; 70
Chefin, die, -nen; 30
Cola, das/die, -s; 38
Comicfigur, die, -en; 9
Computer, der, -; 22
Computerraum, der, "-e; 89
Computerwort, das, "-er; 49
Cornflakes, die; 30

D

d.h. (das heißt); 88
da sein; 22
da; 14, 56
dabei; 88
Dach, das, "-er; 65
daneben; 24
Dank, der; 8
danke; 15
dann; 15, 46
das; 8, 14
dass; 70
Datei, die, -en; 50
Datum, das, Daten; 15
dazu; 64, 81, 86
Decke, die, -n; 66
decken; 74
Deich, der, -e; 54
dein-; 70
denn; 24
der; 9
deshalb; 88
Deutsch; 6
deutsch; 9
Deutschkurs, der, -e; 40
Deutschland; 6

Dezember, der; 23
die; 8, 10, 16
Dienstag, der (= Di), -e; 23
dies-; 42
Ding, das, -e; 46
direkt; 17
Disco, die, -s; 40
diskutieren; 10
doch; 17, 62, 88
Doktor, der (Dr.); 80
Döner, der, -; 72
Dönerstand, der, "-e; 72
Donner, der, -, 95
Donnerstag, der (= Do), -e; 23
Doppelzimmer, das, -; 18
Dorf, das, "-er; 63
dort; 15
dorthin; 54
Dose, die, -n; 42
dran sein; 39
draußen; 64
dreiteilig; 89
drin; 41
drüben; 87
drucken; 49
drücken; 50
du; 7
dunkel; 22
durch; 65
Durchsage, die, -n; 56
dürfen; 40
Durst, der; 74
Dusche, die, -n; 18
duschen (sich); 30

E

echt; 87
egal; 96
Ei, das, -er; 38
eigen-; 88
eigentlich; 39
ein-; 8
einatmen; 78
einfach; 15, 65

einfarbig; 89
einkaufen; 31
Einkaufsgespräch, das, -e; 87
Einkaufsmöglichkeit, die,
   -en; 39
Einkaufszentrum, das,
   -zentren; 39
Einkaufszettel, der, -; 39
einladen*; 33
Einladung, die, -en; 70
einlegen; 50
einmal; 6, 38, 48
einnehmen*; 79
einpacken; 90
einschalten; 73
einschlafen*; 80
einsteigen*; 58
Einverstanden!; 32
Einzelzimmer, das, -; 15
Einzimmerwohnung, die,
   -en; 63
Eis, das; 74, 96
elegant; 88
Elektriker, der, -; 86
Eltern, die (Pl); 88
E-Mail, die/das, -s; 30
E-Mail-Adresse, die, -n; 15
empfangen*; 70
empfehlen*; 89
Ende, das; 97
endlich; 54
endlos; 54
eng; 90
entschuldigen; 56
Entschuldigung, die, -en; 14
entspannen (sich); 81
er; 6
erbauen; 16
Erde, die; 17
Erdgeschoss, das, -e; 66
erfragen; 97
erkälten (sich); 79
Erkältung, die, -en; 79
erkennen*; 86

erklären; 34
erleben; 70
erst; 46
Erwachsene, der, -n; 80
erwarten; 41
erzählen; 30
es; 14
Espresso, der, -s; 38
Essen, das, -; 63
essen*; 30
Essig, der; 42
Etui, das, -s; 50
etwa; 30
etwas; 32
Euro, der, -s; 24
Europa; 23
europäisch; 94
Experiment, das, -e; 22

F

Fabrik, die, -en; 63
fahren*; 30
Fahrkarte, die, -n; 56
Fahrplan, der, "-e; 58
Fahrrad, das, "-er; 58
Fahrt, die, -en; 58
falsch; 55
Familie, die, -n; 9
Familienname, der, -n; 18
Fan, der, -s; 25
Farbe, die, -n; 18
fast; 54
Fax (Telefax), das, -e; 18
Februar, der; 23
fehlen; 39
Fehler, der, -; 46
Feier, die, -n; 17
feiern; 40
fein; 72
Feld, das, -er; 97
Fenster, das, -; 65
Ferien, die (Pl); 54
fernsehen*; 31
Fernseher, der, -; 66

fertig; 31
Fest, das, -e; 17
festlegen; 58
Fieber, das; 78
Film, der, -e; 17, 31
Filmfestival, das, -s; 17
Film-Foto, das, -s; 64
Filmfreund; der, -e; 17
finden*; 14, 24
Finger, der, -; 82
Firma, die, Firmen; 15
Fisch, der, -e; 39
Fitness-Übung, die, -en; 81
Flasche, die, -n; 42
Fleisch, das; 39
fliegen*; 23
Flug, der, "-e; 58
Flügel, der, -; 41
Flughafen, der, "-; 54
Flugzeug, das, -e; 58
Flur, der, -e; 30
Fluss, der, "-e; 63
folgend; 46
Formular, das, -e; 18
Foto, das, -s; 17
Fotoausstellung, die, -en; 16
Fotografie, die; 16
fotografieren; 54
Fotografin, die, -nen; 30
Frage, die, -n; 22
fragen; 7
Frau, die, -en; 14, 62
frei; 23
Freitag, der (= Fr), -e; 23
Freizeit, die; 30
Freizeitkleidung, die; 86
fremd; 14
Fremdsprache, die, -n; 97
freuen (sich); 70
Freund, der, -e; 31, 70
Freundin, die, -nen; 16, 63
freundlich; 56
Freut mich!; 70
Friese, der, -n; 55

Alphabetisches Wörterverzeichnis

Jahreszeiten-Maler, der, -; 96
Jahrhundert, das, -e; 16
Januar, der; 23
Jazz, der; 24
Jeans, die, -; 86
jed-; 46
jemand: 33
jetzt; 16
Job, der, -s; 32
jobben; 88
joggen; 32
Jogginganzug, der, "-e; 86
Joghurt, das/der, -s; 38
Joker, der, -; 97
Journalistin, die, -nen; 30
Jugendliche, der, die, -n; 80
Jugendzentrum, das,
  -zentren; 17
Juli, der; 23
Juni, der; 23

K

Kabine, die, -n; 87
Kaffee, der, -s; 30
Kalender, der, -; 26
Kalenderblatt, das, "-er; 26
kalt; 38, 73
Kamera, die, -s; 31
Kamin, der, -e; 66
kaputt; 79
kariert; 89
Karneval, der; 88
Karotte, die, -n; 73
Karte, die, -n; 38, 46, 58, 95
Kartoffel, die, -n; 42
Käse, der; 38
Kassette, die, -n; 47
Kassettengerät, das, -e; 31
Katalog, der, -e 55
Katastrophe, die, -n; 24
kaufen; 24
Kaufhaus, das, "-er; 87
kaum; 46
kein-; 30

Keller, der, -; 66
kennen*; 17
Kilogramm, das, - (= kg); 39
Kilometer, der, - (= km); 55
Kind, das, -er; 63
Kinderzimmer, das, -; 64
Kino, das, -s; 18
Kirche, die, -n; 18
Kissen, das, -; 66
Klasse, die, -n; 46
Klassik, die; 24
kleben; 47
Kleid, das, -er; 86
Kleider, die (Pl); 86
Kleidung, die; 86
Kleidungsstück, das, -e; 86
klein; 38, 80
klingeln; 30
klingen*; 71
Knie, das, -; 81
knien; 81
Knopf, der, "-e, 64
kochen; 30
Koffer, der, -; 90
Kohleindustrie, die; 16
Kollege, der, -n; 46
komfortabel; 63
kommen; 6
komponieren; 22
können*; 38
Kontinent, der, -e; 10
kontrollieren; 48
konzentrieren (sich); 78
Konzert, das, -e; 16
Kopf, der, "-e; 82
Kopfschmerzen, die (Pl) 78
Kopfweh, das; 79
Körper, der, -; 78
korrekt; 47
korrigieren; 34
kosten; 39
krank; 78
Krankenhaus, das, "-er; 80
Krankheit, die, -en; 78

Kreuzung, die, -en; 55
Krimi, der, -s; 31
Küche, die, -n; 62
Kuchen, der, -; 39
Kugelschreiber, der, -; 50
kühl; 94
Kultur, die, -en; 17
Kulturerbe, das; 16
Kulturfest, das, -e; 17
Kulturprogramm, das, -e; 14
Kulturzentrum, das,
  -zentren; 16
Kurs, der, -e; 7
Kursfest, das, -e; 38
Kursraum, der, "-e; 50
kurz; 38, 55
kürzen; 73
küssen; 82

L

lachen; 32
Lage, die; 57
Lampe, die, -n; 64
Land, das, "-er; 6, 63
landen; 58
Landkarte, die, -n; 50
Landschaft, die, -en; 94
lang; 62
lange; 15
langsam; 17
lassen*; 56
lässig; 86
Latzhose, die, -n; 88
laufen*; 46, 54
laut; 64
Leben, das, -; 30
leben; 9
Lebensmittel, das, -; 39
lecker; 54
Lederjacke, die, -n; 90
leer; 65
legen (sich); 79, 81
Lehrbuch, das, "-er; 46
Lehrer, der, -; 47

Lehrerin, die, -nen; 47
leicht; 46, 86
Leid tun; 31
leider; 14
lernen; 9
Lernkärtchen, das, -; 81
Lernpartnerin, die, -nen; 49
Lernprogramm, das, -e; 50
Lerntipp, der, -s; 48
Lernziel, das, -e; 47
lesen; 6
letzt-; 57
Leuchtturm, der, "-e; 54
Leute, die (Pl); 22
Licht, das, -er; 22
lieb-; 96
lieber; 24
Lieblingsmusik, die; 97
Lied, das, -er; 17
liegen bleiben*; 30
liegen*; 8, 79, 81
Limonade, die, -n; 38
Linie, die, -n; 65
links; 15
Lippe, die, -n; 82
locker; 86
Löffel, der, -; 74
Lohn, der, "-e; 31
los sein*; 78
löschen; 49
losgehen*; 30
Lösung, die, -en; 50
Luft, die; 80
Lust, die, "-e; 32

M

machen; 7, 39, 86
Mahlzeit!; 34
Mai, der; 23
Mal, das, -e; 97
mal; 14
-mal (viermal); 46
malen; 82
Maler, der, -; 55

Alphabetisches Wörterverzeichnis

Malerin, die, -nen; 63
man; 15
Manager, der, -; 46
Managerin, die, -nen; 34
manchmal; 46
Mann, der, "-er; 17, 46
Mantel, der, "-; 86
markieren; 10
Markt, der, "-e; 39
Marmelade, die; -n; 38
März, der; 23
maximal; 18
Medikament, das, -e; 79
Mediothek, die, -en; 48
Meer, das, -e; 54
Mehl, das; 41
mehr; 47, 57
mein-; 9
meinen; 71
meist; 80
meist-; 97
meistens; 46
Meisterfotograf, der, -en; 17
Meldeformular, das, -e; 15
Mensch, der, -en; 6
Menü, das, -s; 71
Menüplan, der, "-e; 89
messen*; 78
Messer, das, -; 74
Meter, der, -; 14
Metzgerei, die, -en; 39
Miete, die, -n; 63
mieten; 55
Mikrofon, das, -e; 22
Milch, die; 38
Milchprodukt, das, -e; 39
Mineralwasser, das; 38
Minibar, die, -s; 57
Miniglossar, das, -e; 57
Mini-Pizza, die, -s; 38
Minirock, der, "-e; 88
Minute, die, -n; 15
mischen; 22
mit; 15, 63

mitbringen*; 70
mitkommen*; 38
mitmachen; 81
mitnehmen*; 90
Mittag, der, -e; 32
Mittagessen, das, -; 42
Mitte, die; 22
Mittwoch, der (= Mi), -e; 23
Möbel, die (Pl); 64
möchte-; 14
Mode, die, -n; 86
Mode-Fan, der, -s ; 88
Modegeschäft, das, -e; 89
modern; 63
modisch; 86
mögen*; 24, 79
möglich; 30
Moment mal!; 14
Moment, der, -e; 14
Monat, der, -e; 23
Montag, der (= Mo), -e; 23
Morgen, der, -; 30
morgen; 16
müde; 31
Mund, der, "-er; 82
Münster, das; 16
Münsterturm, der; 62
Museum, das, Museen; 16
Museumsshop, der, -s; 55
Musical-Welterfolg, der, -e; 17
Musik, die; 17
Musiker, der, -; 22
Musikerin, die, -nen; 24
Musikgeschmack, der; 88
Musikinstrument, das, -e; 22
Musik-Theater, das, -; 16
Müsli, das, -s; 38
müssen*; 38
Mutter, die, "-er; 88

N

nach Hause; 31
nach; 17, 23, 34
Nachbar, der, -n; 64

nachfragen; 19
Nachmittag, der, -e; 31
Nachricht, die; -en; 31
nächst-; 54
Nacht, die, "-e; 15
Nachtportier, der, -s; 30
Nähe, die; 63
nahe; 55
Name, der, -n; 6
Nase, die, -n; 82
Nationalgalerie, die, -n; 32
natürlich; 22
Nazi, der, -s; 16
Nebel, der, -; 95
nehmen*; 38, 58, 78
nein; 14
nennen*; 65
nett; 90
neu; 48
nicht; 14
Nichtraucher, der, -; 56
nichts; 46
nie; 72
noch; 6
noch eins; 39
Norden, der; 8
Nordsee, die; 54
normal; 88
Note, die, -n; 89
notieren; 10
Notiz, die, -en; 31
November, der; 23
Nudeln (Pl); 41
Nummer, die, -n; 18
nur; 15

O

oben; 62, 65
Obst, das; 38
Obstsalat, der, -e; 75
oder; 9
oft; 39
Oh!; 16
ohne; 18

Ohr, das, -en; 82
Ohrenschmerzen, die (Pl); 80
okay (o.k.); 22
Oktober, der; 23
Öl, das, -e; 42, 64
Oper, die, -n; 16
Orange, die, -n (= Apfelsine);
  42
orange; 66
Orangensaft, der; 38
Orangerie, die; 17
ordentlich; 86
ordnen; 9
orientieren (sich); 15
originell; 64
Ort, der, -e; 15
Ostern; 96
Österreich; 6
Österreicher, der, -; 46
Österreicherin, die, -nen; 9
oval; 64

P

Paar, das, -e; 90
paar (ein paar); 46
packen; 90
Packung, die, -en; 42
Papier, das, -e; 50
Park, der, -s; 16
parken; 58
Parkplatz, der, "-e; 58
Partner, der, -; 8
Partnerin, die, -nen; 8
Pass, der, "-e; 56
passen; 33
passieren; 30
Patient, der, -en; 80
Pause, die, -n; 25
Pension, die, -en; 57
perfekt; 47
Person, die, -en; 6
persönlich; 70
Pfeffer, der; 42
Pflanze, die, -n; 65

phantastisch; 54
Pianist, der, -en; 26
Pianistin, die, -nen; 26
Pizza, die, -s; 73
Plan, der, "-e; 16, 48
planen; 58
Plattdeutsch; 55
Platte, die, -n; 25
Platz, der, "-e; 8, 30
Porträt, das, -s; 7
Post, die; 18
Postkarte, die, -n; 72
**Postleitzahl, die, -en
(= PLZ); 8**
praktisch; 63
Preis, der, -e; 18
prima!; 41
primitiv; 65
privat; 86
pro; 24
probieren; 40
Problem, das, -e; 30
Produkt, das, -e; 39
produzieren; 22
Programm, das, -e; 17
Programmierer, der, -; 88
Prospekt, der, -e; 16
Prost!; 72
Prüfung, die, -en; 47
Pullover, der, -; 86
Punkt, der, -e; 97
pünktlich; 56
Punktzahl, die, -en; 97
putzen; 82

Q

Quadratmeter, der, -; 63
Quartett, das; 24
Quatsch, der; 86

R

Radio, das, -s; 30
Radiomeldung, die, -en; 23
Rathaus, das, "-er; 18

rauchen; 56
Raum, der "-e; 62
raus; 90
Rechnung, die, -en; 34
Recht haben; 87
rechts; 14
Recorder, der, -; 50
Redaktion, die, -en; 30
reden; 46
Regal, das, -e; 66
Regel, die, -n; 97
regelmäßig; 46
Regen, der; 95
Regenjacke, die, -n; 86
Regenschauer, der, -; 95
Region, die, -en; 63
regnerisch; 94
reingehen*; 71
Reis, der; 42
Reise, die, -n; 54
Reisebüro, das, -s; 58
reisen; 34
Reiseroute, die, -n; 56
rennen*; 30
reservieren; 57
Reservierung, die, -en; 18
Restaurant, das, -s; 54
Rezept, das, -e; 79
richtig; 15, 72
Richtung, die, -en; 15
riechen*; 82
riesengroß; 71
Rock, der, "-e; 86
Rock, der; 24
Rockmusik, die; 22
rosa; 64
rot; 66
Rücken, der, -; 81
Rückenschmerzen, die (Pl); 80
Rückfahrt, die, -en; 56
Ruhe, die; 63
ruhig; 57
rühren; 73
rund; 62

S

Sache, die, -n; 86
Saft, der, "-e; 70
sagen; 6
Sahne, die; 75
Sakko, das/der, -s; 86
Salami, die, -s; 38
Salat, der, -e; 31
Salz, das; 42
sammeln; 16
Sammlung, die, -en; 16
Sampler, der, -; 26
Samstag, der (= Sa), -e; 23
Sand, der; 54
Sandwich, das, -(e)s; 31
Sänger, der, -; 22
Sängerin, die, -nen; 26
satt sein; 74
Satz, der, "-e; 11
sauber; 86
Sauce, die, -n; 73
sauer; 74
S-Bahn, die, -en; 64
schade; 54
schälen; 73
Schalter, der, -; 58
scharf; 40
Schaufenster, das, -; 87
schenken; 72
schick; 86
schicken; 49
Schiff, das, -e; 58
Schinken, der, -; 38
Schirm, der, -e; 90
Schlaf gut!; 34
Schlaf, der; 80
schlafen*; 31
Schlafzimmer, das, -; 62
Schlagzeug, das; 26
schlecht aussehen*; 78
schlecht; 24
schließen*; 30
Schlüssel, der, -; 15
schmecken; 40

Schmerz, der, -en; 78
Schmerztablette, die, -n; 78
schmutzig; 88
Schnee, der; 96
Schneefall, der, "-e; 95
schneiden*; 73
schneien; 96
schnell; 41
Schnittwunde, die, -n; 80
Schnupfen, der; 79
Schock, der, -s; 88
schön; 16, 75
schon; 22, 64
schräg; 65
Schrank, der, "-e; 66
schreiben*; 10
Schreibtisch, der, -e; 64
Schritt, der, -e; 50
Schuh, der, -e; 86
Schule, die, -n; 24
Schüler, der, -; 24
Schülerin, die, -nen; 24
Schüssel, die, -n; 74
schwach; 78
schwarz; 65
Schweiz, die; 6
schwer; 39, 48
Second-Hand-Laden, der, "-;
86
See, der, -n; 57
Seeblick, der; 57
sehen*; 14
sehr; 16
sein*; 8, 54
sein-; 63
seit; 24
Seite, die, -n; 30
Sekt, der; 70
selbst; 48
selten; 86
senden*; 49
September, der; 23
servieren; 34
Serviette, die, -n; 74

Alphabetisches Wörterverzeichnis

Servus! *(österreichisch)*; 6
Sessel, der, -; 64
setzen (sich); 78
sich; 14
sicher; 56, 62
sie (Pl); 21
Sie (Pl); 55
Sie; 6
sie; 6
Siedlung, die, -en; 63
Sieger, der, -; 97
Siegerin, die, -nen; 97
singen; 22
sitzen*; 80
Skifahren, das; 94
Skulptur, die, -en; 16
Smalltalk, der; 72
SMS, die, -; 54
Snowboardfahren, das; 94
so viel; 96
so; 17, 55
Socke, die, -n; 90
Sofa, das, -s; 64
sofort; 39
sogar; 62
Sohn, der, "-e; 47
Solistin, die, -nen; 24
sollen; 15
Sommer, der; 58
Sommerfest, das, -e; 40
Sonderangebot, das, -e; 89
sondern; 80
Sonderverkauf, der; 89
Sonne, die, -n; 95
sonnig; 95
Sonntag, der (= So), -e; 23
sonst; 39
spät; 34, 46
spazieren gehen*; 32
Spaziergang, der, "-e; 54
speichern; 49
Speise, die, -n, 38
Speisekarte, die, -n; 71
spenden; 24

Spezialität, die, -en; 17
Spiegel, der, -; 66
Spiel, das, -e; 97
spielen; 10, 22, 32, 64
Spieler, der, -; 97
Spielerin, die, -nen; 97
Spinat, der; 39
spinnen*; 96
spitze!; 24
Spitzensport, der; 17
Sport, der; 16
Sportkleidung, die; 86
sportlich; 86
Sportunfall, der, "-e; 80
Sportverletzung, die, -en; 80
Sprache, die, -n; 6
Sprachenschule, die, -n; 40
Sprachkurs, der, -e; 46
sprechen*; 6
springen*; 82
Stadion, das, Stadien; 25
Stadt, die, "-e; 14
Stadtgarten, der, "-; 16
Stadtmensch, der, -en; 63
Stadtplan, der, "-e; 14
Stadtprospekt, der, -e; 14
Stadtrand, der, "-er; 57
Stadtzentrum, das,
  -zentren; 30
Star, der, -s; 25
stark; 95
Start, der; 97
starten; 23, 49
Station, die, -en; 54
statt, 88
Stau, der, -s; 54
stehen*; 22
stellen; 80, 81
Stift, der, -e; 50
Stil, der, -e; 26
still; 47
stimmen; 15
Stock, der; 62
Strand, der, "-e; 54

Straße, die, -n; 9
Straßenbahn, die, -en; 58
streichen*; 49
Streichquartett, das, -e; 40
Streit, der; 88
Stress, der; 89
Strumpf, der, "-e; 90
Stück, das, -e; 24, 42
Student, der, -en; 30
Studentin, die, -nen; 40
studieren; 34
Studio, das, -s; 22
Studium, das, Studien; 31
Stuhl, der, "-e; 50
Stunde, die, -n; 16
stundenlang; 54
suchen; 9
Süden, der; 16
super!; 24
Superkoch, der, "-e; 72
Supermarkt, der, "-e; 39
Suppe, die, -n; 39
süß; 74
Synagoge, die, -n; 16

T

Tafel, die, -n; 50
Tag; 6
Tagesablauf, der, "-e; 30
Tagessuppe, die, -n; 38
Tageszeit, die, -en; 79
Tandem-Partnerin, die, -nen;
  48
Tante-Emma-Laden, der,
  -Läden; 39
Tanz, der, "-e; 17
tanzen*; 40
Tasche, die, -n; 56
Tasse, die, -n; 74
Tau, der; 96
Taxi, das, -s; 55
Techno; 24
Tee, der, -s; 38
Teilnehmer, der, -; 47

Telefax, das, -e; 15
Telefon, das, -e; 9
telefonieren; 34
Telefonnummer, die, -n; 8
Teller, der, -; 74
Tennis, das; 58
Teppich, der, -e; 64
Termin, der, -e; 30
Terminproblem, das, -e; 30
Test, der, -s; 89
testen; 48
teuer; 39, 57
Text, der, -e; 25
Textbaustein, der, -e; 73
Theater, das, -; 15
Thema, das, Themen; 17
Ticket, das, -s; 14
tief; 78
Tipp, der, -s; 48
Tisch, der, -e; 50
Titel, der, -; 33
Tochter, die, "-er; 88
Toilette, die, -n; 64
toll; 16
Tomate, die, -n; 42
Topf, der, "-e; 74
Torte, die, -n; 73
tot; 96
Tour, die, -en; 23
Tourist, der, -en; 54
Touristeninformation, die; 14
Touristen-Ticket, das, -s; 14
Tour-Plan, der, "-e; 23
tragen*; 82
Training, das; 9
Traumberuf, der; -e; 31
traurig; 55
treffen (sich)*; 30
treiben (Sport)*; 80
Treppe, die, -n; 66
trinken*; 32
trocken; 74
trotzdem; 88
Tschüs!; 31

T-Shirt, das, -s; 86
tun*; 31
Tür, die, -en; 30
Turm, der, "-e; 62
Turmwächter, der, -; 62
Turmwohnung, die, -en; 62
Turnschuh, der, -e; 86
TV, das (= Fernsehen); 57
typisch; 94

U

U-Bahn, die, -en; 30
üben; 46
über; 24, 35
überall; 54
überreichen; 71
Übung, die, -en; 46, 81
Uhr, die, -en; 15
Uhrzeit, die, -en; 34
um; 16, 62
umsehen (sich)*; 87
umsteigen*; 58
umziehen*; 63
und; 6
UNESCO, die; 16
ungefähr; 14
Uni, die, -s; 34
unten; 65
Unterhose, die, -n; 90
Unterricht, der; 48
unterschreiben*; 15
Unterschrift, die, -en; 15
unterstützen; 24
unterwegs; 23
Urlaub, der, -e; 97

V

Vater, der, "-er; 88
Vegetarier, der, -; 73
Vegetarisches; 71
verabreden (sich); 40
verabschieden (sich); 30
verbinden*; 82
Verdauung, die; 80

verdienen; 34
vereinbaren; 30
Verfügung, die, -en; 89
Vergangene, das; 54
vergessen*; 31
vergleichen*; 8
verkaufen; 34
Verkäufer, der, -; 34
verletzen (sich); 80
Verpackung, die, -en; 42
verrückt; 88
verschieden; 6
Versicherungskarte, die, -n; 78
Verspätung, die; 56
Verstauchung, die; 80
verstehen*; 25
versuchen; 72
verwenden; 79
Video, das, -s; 40
viel; 16, 63
viel-; 62
Vielen Dank!; 8
vielleicht; 46
Viertel, das, -; 30
Villa, die, Villen; 65
Viola, die; 24
violett; 66
Violine, die, -n; 24
Violinkonzert, das, -e; 24
Violoncello, das; 24
Vitamin, das, -e; 79
Volksmusik, die; 24
voll; 30
völlig; 79
von – bis; 15
von; 8, 16
vor allem; 78
vor kurzem; 63
vor; 31, 55
vorbei sein*; 79
vorbeigehen*; 78
vorbereiten; 31

Vormittag, der, -e; 34
Vorname, der, -n; 9
vorne; 32, 65
Vorspeise, die, -n; 71
vorspielen; 81
vorstellen (sich); 8

W

Wächter, der, -; 62
Wagen, der, -; 56
wählen; 17
Wald, der, "-er; 94
Wand, die, "-e; 64
wandern; 54
Wanderung, die, -en; 94
wann?; 23
warm; 38, 90
warten; 54
Wartezimmer, das, -; 78
warum?; 46
was?; 6
waschen*; 74
Wasser, das; 30
WC, das, -s (= Toilette); 57
wechseln; 58
Wecker, der, -; 30
Weg, der, -e; 15
weggehen*; 63
wegnehmen*; 56
weh tun*; 78
Wein, der, -e; 70
weiß; 66
weit; 15, 54
weiterfahren*; 54
weitergehen*; 15
weiterhelfen*; 47
welch-?; 6
Welle, die, -n; 54
Welt, die, -en; 23
wenig; 39
wenn; 80
wer?; 8
Westen, der; 9
Wetter, das; 62

wichtig; 26
wie oft?; 79
wie viel?; 62
wie?; 7
wieder; 23
Wiedereröffnung; 89
wiederholen; 17, 79
Wiederholung, die, -en; 17
wild; 96
Winter, der; 96
wir; 15
wirklich; 64
wissen*; 17
wo; 6
Woche, die, -n; 23
Wocheneinkauf, der, "-e; 39
Wochenende, das, -n; 23
Wochentag, der, -e; 26
wogegen?; 79
woher; 6
wohin?; 23
Wohl, das; 70
wohl; 64
Wohnblock, der, "-e; 63
wohnen; 6
Wohnort, der, -e; 6
Wohnraum, der, "-e; 64
Wohnsituation, die, -en; 62
Wohnung, die, -en; 62
Wohnungsplan, der, "-e; 62
Wohnzimmer, das, -; 62
Wolke, die, -n; 96
wolkig; 95
Wolle, die; 88
wollen; 39
worauf; 76
Wort, das, "-er; 10
Wörterbuch, das, "-er; 50
Wortschatz, der; 10
worüber; 72
worum?; 79
würfeln; 97
Wurst, die, "-e; 39
würzen; 73

Alphabetisches Wörterverzeichnis

Alphabetische Liste der unregelmäßigen Verben in *Optimal* A1

Infinitiv	3. Person Singular Perfekt (hat/ist + Partizip II)	Infinitiv	3. Person Singular Perfekt (hat/ist + Partizip II)
abfahren	ist abgefahren	einschlafen	ist eingeschlafen
abwaschen	hat abgewaschen	einsteigen	ist eingestiegen
anbieten	hat angeboten	empfangen	hat empfangen
anbrennen	ist angebrannt	empfehlen	hat empfohlen
angehen	ist angegangen	erkennen	hat erkannt
ankommen	ist angekommen	essen	hat gegessen
anrufen	hat angerufen	fahren	ist gefahren
ansprechen	hat angesprochen	fernsehen	hat ferngesehen
anziehen	hat angezogen	finden	hat gefunden
aufnehmen	hat aufgenommen	fliegen	ist geflogen
aufstehen	ist aufgestanden	geben	hat gegeben
auftreten	ist aufgetreten	gefallen	hat gefallen
aufwachsen	ist aufgewachsen	gehen	ist gegangen
ausfallen	ist ausgefallen	genießen	hat genossen
ausgeben	hat ausgegeben	geschehen	ist geschehen
ausgehen	ist ausgegangen	gießen	hat gegossen
ausschneiden	hat ausgeschnitten	haben	hat gehabt
aussehen	hat ausgesehen	heißen	hat geheißen
aussteigen	ist ausgestiegen	helfen	hat geholfen
ausziehen (sich)	hat (sich) ausgezogen	kennen	hat gekannt
beginnen	hat begonnen	klingen	hat geklungen
bekommen	hat bekommen	kommen	ist gekommen
beschreiben	hat beschrieben	lassen	hat gelassen
bitten	hat gebeten	laufen	ist gelaufen
bleiben	ist geblieben	lesen	hat gelesen
brechen	hat gebrochen	liegen	hat/ist gelegen
einladen	hat eingeladen	losgehen	ist losgegangen
einnehmen	hat eingenommen	messen	hat gemessen

Infinitiv	3. Person Singular Perfekt (hat/ist + Partizip II)
mitbringen	hat mitgebracht
mitkommen	ist mitgekommen
mitnehmen	hat mitgenommen
nehmen	hat genommen
nennen	hat genannt
reingehen	ist reingegangen
rennen	ist gerannt
riechen	hat gerochen
schlafen	hat geschlafen
schließen	hat geschlossen
schneiden	hat geschnitten
schreiben	hat geschrieben
sehen	hat gesehen
senden	hat gesendet
singen	hat gesungen
sitzen	hat/ist gesessen
spinnen	hat gesponnen
sprechen	hat gesprochen
springen	ist gesprungen
stehen	hat/ist gestanden
tragen	hat getragen
treffen	hat getroffen

Infinitiv	3. Person Singular Perfekt (hat/ist + Partizip II)
treiben	hat getrieben
trinken	hat getrunken
tun	hat getan
umsehen (sich)	hat sich umgesehen
umsteigen	ist umgestiegen
umziehen	ist umgezogen
unterschreiben	hat unterschrieben
verbinden	hat verbunden
vergessen	hat vergessen
vergleichen	hat verglichen
verstehen	hat verstanden
vorbeigehen	ist vorbeigegangen
weggehen	ist weggegangen
wegnehmen	hat weggenommen
wehtun	hat wehgetan
weiterfahren	ist weitergefahren
weitergehen	ist weitergegangen
weiterhelfen	hat weitergeholfen
wissen	hat gewusst
zurückfahren	ist zurückgefahren
zutreffen	hat zugetroffen

Quellen

Mozart Quartett Salzburg (Foto: S. 24 o.) – Bern Tourismus (Fotos: S. 62 großes Foto, 63 o. li.) – EMG Essen-Marketing GmbH (S. 16 Fotos 3, 5) – Rötger Feldmann / Brösel, Sören (Comic-Figur „Werner" S. 9 o.) – Hotel Lindenhof, Essen (Foto: S. 15) – Martin Müller, Bürglen (Fotos: S. 7 Mitte, u.; 10; 22; 63 o. re., u. re.; 80; 82) – Münchner Philharmoniker (Foto: S. 24 C) – Polyglott Kartographie München (S. 15, 32, 54, 55) – Christoph Ris, Oberwichtrach (Fotos: S. 24 B, 27) – Paul Rusch, Götzens (Fotos: S. 9; 46-48; 66) - Theo Scherling, München (Fotos: S. 24 A; 88 o.; 95; 96) - Stiftung Seebüll Ada und Emil Nolde (Foto: S. 55) – SV-Bilderdienst, München (Fotos: S. 25) – Angelika Sulzer, München (Fotos: S. 8 u.; S. 16 Fotos 1, 2, 4) – VG Bild-Kunst, Bonn 1996 (S. 65 Gabriele Münter, Villen am Hügel; 66 Roy Lichtenstein, Bedroom at Arles) – Visum Archiv / Edgar Höfs (Foto: S. 39 u.) – Lukas Wertenschlag, Lutry (Fotos: S. 6 u.; 12 u.; 62 kleines Foto; 63 Mitte re.) – Heinz Wilms (Fotos: S. 40 Mitte; 54) – Jenner Zimmermann, Auckland (Foto: S. 32 Mitte)
Alle hier nicht aufgeführten Zeichnungen: Christoph Heuer, Zürich
Alle hier nicht aufgeführten Fotos: Vanessa Daly, München